Ado
José

GEORGIA BOCKOVEN

Adorable
Joséphine

Toute représentation ou reproduction, intégrale ou partielle, faite sans le consentement de l'auteur, ou de ses ayants droit, ou ayants cause, est illicite (loi du 11 mars 1957, alinéa 1er de l'article 40). Cette représentation ou reproduction, par quelque procédé que ce soit, constituerait une contrefaçon sanctionnée par les articles 425 et suivants du Code pénal. Le Code de la propriété intellectuelle n'autorisant, aux termes des alinéas 2 et 3 de l'article L. 122-5.

Cet ouvrage a été publié en langue anglaise
sous le titre :
LOVE SONGS

© 1987, Georgia Bockoven. © 1988, Traduction française : Harlequin S.A.
48, avenue Victor-Hugo. 75116 Paris — Tél. : 45 00 65 00.
ISBN 2-280-07247-5 — ISSN 0223-467X

1.

Au doigt de Joséphine, le superbe diamant scintillait, renvoyant la lumière en milliers de fragments irisés.

« Réfléchis, Joséphine, n'es-tu pas en train de trahir Mabel? »

Cette question, la jeune femme se la posait pour la millième fois, au moins. Sans découvrir de réponse...

Nerveusement, elle fit tourner l'anneau trop large pour son doigt et se rappela la vieille dame qui le lui avait donné. Mabel avait vécu les huit dernières années de sa vie dans une triste solitude, refusant de renouer avec son fils. Elle était bien trop obstinée pour faire le premier pas et se réconcilier... Joséphine avait été la seule à connaître l'étendue de son chagrin ; Mabel, avec son caractère difficile, ne comptait guère d'amis.

Agitée, Joséphine arpenta la salle du commissariat. Que faisait-elle là, au juste ? Dans cette pièce aux murs nus dont le décor évoquait l'intérieur d'un vaisseau de guerre, elle se sentait la proie d'un agaçant sentiment de culpabilité.

Avait-elle raison de se lancer dans cette aventure ?

D'autant qu'elle ne s'annonçait pas facile...

Quel accueil lui réserverait l'inspecteur ? Pour tromper son attente, Joséphine se dirigea vers le panneau où étaient affichées des notes de service. On recherchait un joueur de football pour l'équipe des policiers de Denver... Elle était plongée dans sa lecture quand un bruit de pas la fit sursauter. Répétant mentalement le discours qu'elle avait préparé, Jo se retourna et les mots moururent au bord de ses lèvres.

— Alex ! Mais...

Non, elle ne rêvait pas. C'était bien lui ! Malgré les changements survenus en onze ans, elle le reconnaissait. Il s'était étoffé, portait ses cheveux beaucoup plus courts... Alex, l'inséparable compagnon de son frère, qui avait partagé les jeux de leur enfance. Comment aurait-elle pu l'oublier ?

Lui, en revanche, ne semblait pas se souvenir de celle qu'il avait autrefois persécutée sans pitié... Il avait des excuses : Jo n'avait plus rien de commun avec la maigre fillette aux longues tresses blondes qu'il avait connue. Le garçon manqué était devenu une superbe jeune femme aux cheveux d'un blond plus foncé et aux formes très féminines. Sa coupe au carré mettait en valeur son visage au délicat ovale.

6

Enfin, le déclic se produisit et Alex s'écria :

— Quelle surprise ! Josie Williams en personne !

Josie... Ah, comme elle détestait cet affreux surnom !

— On ne m'a plus appelée Josie depuis le lycée. Je préfère nettement « Jo » ou « Joséphine ».

Il l'étudia un moment avec un sourire puis déclara :

— Tu ne m'as toujours pas pardonné à ce que je vois...

Instantanément, Jo fut sur ses gardes.

— Pardonné quoi ?

— J'avais dit à Tony Erickson que tu étais folle de lui.

— Comment, c'était toi ? Sais-tu qu'il m'a poursuivie pendant deux ans en croyant que je jouais à la timide ? J'aurais dû me douter qu'il n'y avait que toi pour me faire une farce pareille !

Alex se mit à rire et s'approcha d'elle pour déposer un baiser sur sa joue.

— Je suis étonné que tu ne m'aies pas démasqué avant ! Raconte-moi un peu ce qui s'est passé, depuis, voyons... onze ans, ma foi !

Comme le temps passait vite, songea Jo. Il lui semblait si proche le temps où ils inventaient mille bêtises...

— Il n'y a pas grand-chose à raconter, en vérité.

Sur ces mots, Jo alla prendre place dans le fauteuil réservé aux visiteurs. En d'autres circonstances, elle aurait été ravie de revoir Alex. Mais aujourd'hui, cela tombait plutôt mal. Ces

7

mensonges qu'elle avait élaborés, comment allait-elle pouvoir les débiter sans rougir? Son ami se rendrait compte qu'elle n'était pas sincère. Difficile de le duper.

— Que veux-tu savoir, Alex?

— Oh, je me satisferais d'un court résumé de ta vie.

Joséphine esquissa un faible sourire. Si peu d'événements avaient laissé une trace dans son souvenir.

— J'ai passé mon bac à Bakersfield. Comme tu sais, mon père avait été muté en Californie par la société pétrolière pour laquelle il travaillait. Mike en a été malade, lui qui tenait tellement à terminer ses études à Colorado Springs... Plus tard, je suis revenue dans la région afin de soigner ma grand-mère. Il y a cinq ans de cela...

— Mais il me semble que dans une de ses lettres, Mike m'avait annoncé sa mort.

La jeune femme acquiesça d'un signe de tête.

— Entre-temps, j'avais ouvert un salon de thé qui me retenait à Boulder. Quelque chose de simple mais de soigné pour une clientèle qui aime les bons produits, les thés au goût exotique... Et toi, que deviens-tu?

Avec un calme qui contrastait avec l'agitation de Joséphine, Alex s'assit en face d'elle, de l'autre côté du bureau gris.

— Oh, moi, ça va plutôt bien. Barbara et moi, nous avons eu quelques années difficiles, mais je crois que le plus dur est derrière nous maintenant.

Tu aurais du mal à trouver un couple aussi banal, ajouta-t-il avec un rire satisfait. Deux enfants, un chien, deux chats et un crédit sur vingt ans pour la maison...

Après une pause, son expression redevenue subitement grave, le jeune homme se pencha vers son interlocutrice et reprit d'une voix plus basse :

— Mais je suppose que tu n'es pas venue jusqu'à Denver pour écouter le récit de mes ennuis...

Joséphine serra son gros sac contre elle et s'éclaircit la gorge avant de parler.

— Eh bien, je... je suis à la recherche d'une personne qui a disparu.

Sans manifester la moindre surprise, Alex se renfonça dans son fauteuil.

— Tu as frappé à la bonne porte. Comment s'appelle cette personne ?

— Brian Tyler, prononça Joséphine en tremblant.

Par bonheur, Alex, occupé à prendre des notes, ne remarqua pas son trouble.

— Depuis quand a-t-il disparu ? interrogea-t-il d'un ton neutre.

— Huit ans, prononça Joséphine en se mordant les lèvres.

Laissant en suspens son crayon au-dessus du papier, le jeune homme posa sur elle un regard interloqué :

— Pourquoi avoir attendu si longtemps ?

Les doigts de Joséphine se crispèrent sur la toile de son sac. C'était exactement ce que lui avait

9

demandé la police de Boulder. Allait-elle de nouveau se trouver dans une impasse ?

— Parce que jusqu'ici, il n'y avait aucune raison de s'en préoccuper, répliqua-t-elle.

— Et à présent ?

— Je dois lui transmettre un héritage, cela représente beaucoup d'argent, dit-elle avec une assurance qu'elle était loin de ressentir.

— Et qui est ce Brian Tyler exactement pour toi ?

— En réalité, je ne l'ai jamais rencontré. C'est le fils d'une amie qui est morte il y a quelques mois.

— Et sa mère lui a légué toute sa fortune ?

— Non, pas toute. Mais il reste tout de même une somme rondelette pour Brian.

D'un air pensif, Alex se mit à mâchonner le bout de son crayon :

— Et qu'as-tu fait jusqu'à présent pour retrouver ce Brian Tyler ?

— La police de Boulder a refusé de m'aider parce que je ne suis pas de la famille...

— Ils ont raison, tu sais. Il y a une loi qui protège les gens qui ont envie de disparaître... Pourquoi pensais-tu qu'en venant ici, ce serait différent ?

De plus en plus mal à l'aise, Joséphine le regarda droit dans les yeux :

— J'avais l'intention de raconter que j'étais sa sœur, et puis je suis tombée sur toi...

— Un sacré coup de chance ! s'exclama Alex en posant son crayon sur la table avec un bruit sec. Tu risquais gros si jamais on découvrait que tu avais menti !

10

— Dois-je comprendre que tu acceptes de me prêter ton concours? lança-t-elle, le cœur soudain gonflé d'espoir.

— Tu voudrais que je perde mon insigne, peut-être? Non, Josie, ce serait illégal... As-tu pensé à engager un détective privé?

— Je ne suis pas assez riche, malheureusement, pour m'offrir ce luxe.

— Pourquoi n'utiliserais-tu pas l'argent de l'héritage? Cela me paraît justifié, non?

Joséphine hésita un instant avant de rectifier:

— En fait, il ne s'agit pas exactement d'argent, mais de bijoux. Et si je les vendais pour le chercher, il n'y aurait alors plus aucune raison de le retrouver, parce qu'il n'y aurait plus rien à lui donner...

Levant les yeux au ciel, le policier remarqua:

— Même si tu étais sa sœur, tu aurais du mal à ouvrir une enquête sur sa disparition. Huit ans, c'est long... A moins que tu ne puisses prouver que les circonstances en étaient suspectes.

— Que faudrait-il pour le prouver?... Bon, bon, fit-elle devant la grimace de son interlocuteur. Je vais essayer de me débrouiller toute seule.

— Tu n'as pas accès au fichier, Josie.

— Quel fichier?

— Si Brian Tyler a eu affaire à la loi, il est fiché.

— S'il a fait un hold-up dans une banque, ou ce genre de chose?

— Ou s'il a eu une contravention, ajouta Alex avec un sourire goguenard.

— Je vois, opina-t-elle, pensive. Et il n'y a vraiment aucun moyen de jeter un coup d'œil dans ce fichier ?

D'un geste, le policier secoua la tête.

— De toute façon, tu n'es pas certaine qu'il réside encore dans cet Etat, n'est-ce pas ?

— Je n'ai aucune idée de l'endroit où il peut se trouver.

— Et il a pu changer son nom.

— Cela m'étonnerait, répondit Joséphine en fronçant les sourcils, il est parti parce que sa mère désapprouvait ses projets de mariage.

— Crois-tu qu'il soit resté dans l'Ouest ?

— C'est probable, d'après tout le monde, il adorait le Colorado.

Il s'ensuivit un long silence. Après mûre réflexion, Alex avança prudemment :

— Tu pourrais à tout hasard consulter les annuaires du Colorado et des Etats voisins. Tu vas avoir des pages et des pages de Brian Tyler, mais enfin, avec de la persévérance...

La jeune femme considéra le vieil ami de son frère avec stupéfaction. Pourquoi n'y avait-elle pas songé plus tôt ? Mais bien sûr, l'annuaire ! Elle se leva vivement en remerciant Alex qui l'imita en s'exclamant :

— Tu es bien pressée de me quitter, Josie. Nous avons à peine eu le temps de bavarder.

— La prochaine fois que je viens à Denver, je compte sur une invitation à déjeuner. Après tout, c'est la moindre des choses après ce que tu as raconté à Tony Erickson !

— Entendu, répliqua le jeune homme en s'esclaffant. Barbara est un véritable cordon-bleu, tu verras.

Au même moment, à plusieurs centaines de kilomètres de là, Brian Tyler tournait le volant de sa Range Rover et bifurquait dans une route de terre battue — c'était le troisième chantier qu'il visitait depuis ce matin. Après avoir garé son véhicule à l'ombre du bâtiment en cours de construction, il apprécia en un clin d'œil les progrès des travaux. Les plans en main il héla le contremaître qui s'avança aussitôt à sa rencontre. Jack Hargrove, un homme à la stature impressionnante, repoussa son casque en arrière et s'essuya le front.

— J'avais pourtant bien dit à Shirley de ne pas t'ennuyer avec cette histoire, commença-t-il sans préambule. Tu as assez de travail en ville pour ne pas venir perdre ton temps ici simplement parce qu'un inspecteur se montre un peu trop pointilleux…

Tout en se coiffant de son casque, Brian jeta au contremaître un coup d'œil surpris.

— Je n'ai pas parlé à Shirley depuis hier. Je suis venu vérifier si vous étiez arrivés à fixer le système de climatisation. Qu'est-ce que c'est que cette histoire d'inspection ?

— Rien du tout, je m'en charge.

Sa confiance en l'efficacité de Jack était telle que Brian n'insista pas.

— Alors réglons vite cet autre problème que tu

as mentionné. Le banquet débute à huit heures et je dois être présent pour la remise de ce maudit prix. Auparavant, mon rendez-vous avec Van Alsteen est maintenu.

Pour un homme qui allait recevoir une éminente distinction, Brian ne se montrait guère enthousiaste! Le journal local lui avait consacré un article élogieux dans son édition du matin. Le journaliste vantait la réussite remarquable de ce jeune entrepreneur de trente-trois ans qui avait monté tout seul sa société de construction. Et dont les projets ambitieux étaient en train de changer la face de la ville de Casper. On publiait sa photo et ce cliché avait sonné le glas de sa tranquillité. A présent, fini l'anonymat! Tous les gens rencontrés aujourd'hui avaient mentionné ce fameux article. De l'électricien à la jeune fille qui lui avait servi son café!

Brian était incontestablement fier de sa réussite. Ses excellents résultats n'étaient pas dus au hasard mais au travail acharné qu'il fournissait depuis six ans. Brian visait un but: faire passer son entreprise au premier rang des affaires de construction de l'Etat. Un objectif qu'il avait atteint: dans tout le Wyoming, TYLER CONSTRUCTION COMPANY jouissait d'une excellente réputation.

Personne ne savait ce qui avait poussé le jeune homme à faire preuve d'une pareille ténacité. En fait, lorsque Karen l'avait quitté, Brian avait perdu le goût de vivre. Développer la TYLER CONSTRUCTION COMPANY avait été sa planche de salut. Il se dépensait sans compter,

14

oubliant dans la bataille quotidienne qu'il livrait son amertume et cette tristesse qui l'envahissaient inexorablement...

Sourcils froncés, Brian suivit son contremaître de cette démarche assurée qui le caractérisait. Champion de saut à la perche au lycée, il avait conservé de ses années de pratique cette fluidité de tous ses mouvements, ce sens de l'équilibre qu'on remarquait chez lui au premier regard. Physiquement, Brian était bâti comme un sportif accompli : très grand, musclé, longues jambes nerveuses. A cent mètres au-dessus du sol, il évoluait sur les poutrelles métalliques avec autant d'aisance que sur la terre ferme.

En fin de compte, il fallut plus de deux heures à Brian pour passer en revue les plans et détecter l'erreur commise par un sous-traitant. Ce point élucidé, il laissa son contremaître sur le chantier pour se rendre à son bureau. Brian dut ensuite livrer une course contre la montre pour terminer dans les temps. Après une douche rapide chez lui, il alla chercher Donna Jackson à son appartement. Ouf, se dit-il, il n'avait qu'un quart d'heure de retard !

— Oh Brian, quelle élégance ! s'exclama Donna en lui ouvrant la porte. Tu es superbe !

— Et toi, éblouissante, riposta-t-il en l'embrassant sur le front.

Ce soir, Donna ne passerait pas inaperçue. Plus que jamais elle avait soigné son apparence : une robe verte au décolleté audacieux mettait en valeur

15

son opulente poitrine, ses cheveux blond platine retenus par une orchidée frappaient par leur couleur inhabituelle. Quant à son parfum, il avait de quoi faire perdre la tête à plus d'un homme... Oui, Donna était belle, songea Brian, envahi d'un sentiment de culpabilité. Mais sa beauté ne le touchait pas vraiment. Pourquoi n'avait-il pas rompu quand il en était encore temps ? Plus il attendait, plus la situation devenait délicate...

— Alors, comment se passent les travaux pour l'hôtel ? s'enquit-elle en se dirigeant vers le bar.

— Nous espérons rattraper le retard et terminer à temps.

Donna lui tendit son verre de bourbon *on the rocks* et se blottit contre lui, sensuelle, provocante.

— Dans ce cas, tu pourras passer le week-end avec moi, souffla-t-elle dans un murmure.

Le regard qu'elle lui lança aurait fait fondre l'homme le plus endurci... mais Brian y demeura insensible. Jamais il n'avait ressenti le moindre trouble en compagnie de Donna. Même au cours de leurs plus fougueuses étreintes, il avait conservé une sorte de détachement dont il connaissait la raison : malgré tout le charme qu'elle possédait, Donna le laissait indifférent.

Doucement, il se détacha et lança d'une voix ferme :

— Donna, il faut que nous parlions tous les deux...

Comme si elle devinait ses pensées, la jeune femme le coupa en déclarant :

16

— Plus tard, Brian. Tu ne voudrais tout de même pas arriver en retard à la réception!

Le jeune homme avait décelé une telle anxiété dans son intonation qu'il préféra ne pas insister. La prochaine fois, se promit-il, il aborderait le sujet, qu'elle le veuille ou non. Poursuivre une aventure avec Donna ne lui apporterait rien. Depuis que Karen était partie, il avait appris à vivre avec sa solitude. *A chaque jour suffit sa peine,* aimait-il à se répéter. Les projets à long terme, Brian n'aimait pas en échafauder. Une fois lui avait suffi...

2.

Avant d'ouvrir la porte de la boutique, la jeune femme leva les yeux vers le pittoresque panonceau. « Les délices de Joséphine » était-il inscrit en lettres élégantes. Dessous figurait un logo dessiné par Jo. La jeune femme était très fière de son enseigne, comme de son commerce d'ailleurs, lequel était pourtant loin d'être florissant. Comme à l'accoutumée, personne ne se pressait à l'entrée. D'ailleurs, elle savait qu'elle n'aurait aucun client avant au moins midi, surtout pendant les vacances — Boulder étant une ville essentiellement universitaire, les rues étaient désertes en été. Mais comme il était annoncé sur la devanture qu'elle ouvrait à dix heures, elle était tous les jours là de bonne heure.

De toute façon, aujourd'hui, elle n'allait pas avoir le temps de s'ennuyer: en consultant les annuaires du Colorado et des sept Etats voisins, elle avait trouvé près de huit cents personnes répondant au nom de « B. Tyler ». Et maintenant, il s'agissait de leur écrire, à toutes! Car en oublier une pouvait signifier manquer celui qu'elle cherchait, le fils de Mabel.

A peine venait-elle d'étaler les feuillets sur le comptoir, que le carillon de la porte d'entrée la fit sursauter. Elle leva vivement la tête pour voir entrer Howard Wakelin. Le vieux monsieur était un de ses plus fidèles habitués parmi les habitants de la résidence réservée au troisième âge qui occupait l'autre côté de la rue. Il était aujourd'hui accompagné d'une petite fille d'une dizaine d'années qui sautillait d'un pied sur l'autre.

— Oh, pardon, Jo! Je ne voulais pas vous faire peur!

Joséphine sourit. Tout le monde à la résidence la connaissait sous le nom de Jo, diminutif qu'elle préférait mille fois à cet affreux Josie dont l'avait doté jadis son frère et qu'elle avait réentendu hier avec la même irritation dans la bouche d'Alex.

— Ne vous excusez pas, Howard, j'avais l'esprit ailleurs. En général, personne ne vient me rendre visite si bon matin...

Puis, abaissant son regard sur la fillette en short et en tee-shirt qui considérait le magasin d'un air boudeur:

— ... Ne serait-ce pas cette petite Sandy dont son grand-père nous a tant parlé? s'enquit Joséphine avec un sourire de bienvenue. De quoi aurait-elle envie?

20

— Sandy chérie, tu m'as bien dit que tu raffolais des glaces?... Je voudrais lui en offrir une avant que nous allions nous promener dans le parc, ajouta-t-il à l'intention de Joséphine.

Au ton inquiet de son vieil ami, la jeune femme comprit tout à coup que la visite tant attendue ne se passait pas aussi bien que prévu.

— Je suis drôlement contente de te rencontrer, tu sais, Sandy. J'ai longtemps habité la Californie, comme toi, continua-t-elle afin de détendre l'atmosphère. Tu dois être contente d'avoir quitté cette fournaise. Il fait meilleur ici...

— Fournaise? répéta la fillette sans un sourire. J'aime *beaucoup* la Californie.

Joséphine se redressa avec un soupir. Pauvre Howard, comme il devait être déçu... Sandy avait dû être envoyée à Boulder par des parents désireux de se retrouver un peu seuls, et qui ne l'avaient sans doute pas consultée.

— Je parie que d'ici la fin de la semaine, tu ne voudras plus partir et qu'il faudra te mettre dans l'avion de force, avança-t-elle cependant pour rassurer Howard. Mais en attendant, que veux-tu? interrogea-t-elle en se glissant derrière le comptoir.

— Une glace à la framboise avec du chocolat et des amandes à l'intérieur et de la noix de coco dessus, répondit la fillette avec précision comique.

Mais Joséphine se garda bien de rire. Comme elle tendait la glace à Sandy, du coin de l'œil, elle vit Howard plonger sa main dans sa poche.

— Non, non, dit-elle, je vous l'offre.

En signe de désapprobation, le vieillard fronça les sourcils.

— Combien de fois faut-il vous dire que la générosité est la perte du négoce ? déclara-t-il en posant un billet de cinq dollars sur le comptoir.

Il attendait sa monnaie quand il avisa le désordre sur la table.

— Que faites-vous, avec tous ces papiers, Jo ?

Jo eut un instant d'hésitation. Les nouvelles se répandaient si vite dans la résidence, si jamais on venait à apprendre qu'elle cherchait le fils de Mabel, cela risquait de compromettre ses chances de crédibilité auprès de Brian Tyler, si tant est qu'elle le retrouve... D'un autre côté, quelqu'un pouvait peut-être l'aider.

— Je recherche Brian Tyler.

— Le fils de Mabel ! Mais pourquoi, grand dieu ?

— Parce qu'il faut bien qu'on lui dise que sa mère est morte.

— Pour qu'il vienne déposer des fleurs sur sa tombe ? suggéra Howard d'un ton sarcastique. Vous savez ce que je pensais de sa mère...

Joséphine acquiesça. Howard n'avait jamais aimé Mabel, et elle le lui avait bien rendu. D'ailleurs elle n'aimait personne.

— Il faut qu'il le sache, s'obstina la jeune femme.

— Votre bon cœur vous perdra, ma chère Joséphine. Si le fils ressemble à la mère, vous n'aurez même pas droit à un merci !

— Comme ce n'est pas ce que je cherche, je ne serai pas déçue, répliqua-t-elle calmement.

La jeune femme ne s'irritait jamais de l'attitude paternelle de ses amis de la résidence, elle s'était résignée à être traitée en gamine inexpérimentée, cela lui était égal. D'autant qu'elle avait beaucoup d'estime pour Howard qui était un homme charmant, doux, attentionné et d'une excellente éducation.

Après le départ du vieux monsieur et de la boudeuse Sandy, Joséphine se rassit devant ses listes de Brian Tyler et se prit la tête entre les mains. Elle n'avait jamais été douée quand il s'agissait de coucher ses pensées par écrit, et voilà qu'elle se trouvait dans l'obligation de tourner une lettre de façon à pouvoir reconnaître à coup sûr le véritable Brian Tyler.

Une heure plus tard, alors que le carillon de la porte retentissait pour la seconde fois de la matinée, elle n'avait pas encore inscrit autre chose sur la feuille que son nom et son adresse.

Levant les yeux, Jo aperçut Florence Pickford, celle que Mabel avait considérée comme sa meilleure amie jusqu'à la fin. Le visage de Jo s'éclaira d'un sourire et elle lança :

— Si vous étiez venue un peu plus tôt, vous auriez rencontré Howard et sa petite-fille. Elle promet d'être ravissante plus tard... quand elle n'aura plus cette mine boudeuse.

— Je sais, soupira Florence, j'ai été l'accueillir hier soir avec Howard à l'aéroport. On ne peut pas dire que ce soit un rayon de soleil ! Pauvre Howard, je lui ai proposé de le seconder, mais il est têtu comme une mule !

Joséphine ne put s'empêcher de sourire. De temps en temps, elle avait l'impression qu'il y avait quelque chose entre Florence et Howard, mais à d'autres moments, ils se montraient si distants l'un avec l'autre, qu'elle rejetait cette idée absurde. Pourtant, à la voir s'avancer vers elle d'un pas allègre, sa mince silhouette toute droite, son visage serein auréolé de cheveux blancs, la jeune femme se prit à espérer qu'elle vieillirait aussi bien que Florence.

— Louise m'a mise au courant de votre projet, continua la vieille dame avec sa franchise habituelle en s'asseyant en face d'elle, je trouve que c'est de la folie...

La jeune femme regarda son interlocutrice d'un air sidéré. Une heure à peine s'était écoulée depuis que Howard avait passé cette porte, et déjà toute la résidence était au courant !

— ... Il va sans doute être furieux d'apprendre la vérité sur son héritage. Et s'il se retournait contre vous, Joséphine ? Il pourrait contester le testament... Songez au scandale, Boulder est une petite ville, Brian le dernier représentant d'une des familles fondatrices. Non, croyez-moi, mon enfant, il vaut mieux qu'il ignore tout.

— Vous estimez vraiment qu'il serait capable de contester le testament ?

A sa grande surprise, Florence se calma tout à coup.

— Pour être honnête, Brian n'est pas homme à se battre pour de l'argent. Je conserve de lui une image toute différente.

24

— Florence, vous êtes la seule personne qui ait connu à la fois Mabel et Brian. Pouvez-vous me le décrire un peu ? Comment est-il vraiment ? Tout ce que je sais de lui, c'est ce que m'en a raconté sa mère. Elle m'en a dit tant de mal que par réaction, j'aurais tendance à le prendre pour un saint.

Après mûre réflexion, la vieille dame prononça gravement :

— Je me rends compte combien il doit être difficile pour vous de comprendre ma loyauté envers Mabel. Mais si vous l'aviez connue autrefois... alors on était fier d'être son amie... Et je n'ai jamais pu oublier cette Mabel-là, au point qu'il m'est pénible de parler d'elle alors qu'elle n'est plus avec nous, il me semble la trahir...

— Si vous préférez vous taire...

— Non, le moment est venu que vous sachiez, Joséphine. Surtout si vous avez l'intention de mener votre projet jusqu'au bout. Mabel et James n'étaient plus tout jeunes quand Brian est venu au monde, ils avaient depuis longtemps abandonné l'idée d'avoir un enfant. Comme il fallait s'y attendre, Brian n'a manqué de rien. Ce qui est étonnant, c'est qu'il n'a rien d'un enfant gâté. C'était un garçon formidable, beau, affectueux, intelligent... bref, il a fait la joie de ses parents...

Joséphine hocha la tête en silence. Plus d'une fois elle s'était doutée que l'amertume de Mabel provenait du sentiment d'avoir été trahie. Si Brian avait toujours été aussi ingrat et égoïste qu'elle le prétendait, son départ ne l'aurait certainement pas autant affectée.

— ... Tout allait bien jusqu'à la mort de James alors que Brian était encore à l'école, poursuivit Florence. Mabel a comme perdu la tête. A partir de ce moment-là, tout ce que pouvait faire Brian lui déplut. A mon avis, Mabel ne se sentait pas assez sûre d'elle, elle avait soixante ans, et se trouvait sans doute trop vieille pour élever seule un adolescent.

— C'était les années soixante, n'est-ce pas ? Et Boulder était le centre du mouvement hippy aux Etats-Unis. Cela ne m'étonne pas que Mabel ait eu peur pour son fils.

Florence haussa ses frêles épaules :

— Peut-être, mais chaque génération se rebelle à sa manière. Et puis Brian était un garçon si sérieux, si travailleur... Non, Mabel a manqué de sang-froid, énonça sévèrement la vieille dame. Résultat : à la première occasion, Brian a quitté Boulder pour l'université de Denver. Evidemment, Mabel avait refusé de payer son inscription, mais cela ne l'a pas arrêté, loin de là. Il a obtenu une bourse et pris un emploi à mi-temps.

— Mabel était ce qu'on appelle une mère possessive, énonça pensivement Joséphine.

— Pendant deux ans, Brian a tout tenté pour qu'elle accepte sa fiancée, Karen. Mais Mabel n'a jamais même voulu la voir ! Oui, c'était à ce point...

— Mais pourquoi ? C'est inhumain...

— Oh, ce serait trop long à expliquer en détail. Selon Mabel, Karen n'était pas assez « bien » pour Brian. Elle avait été serveuse dans un bar, c'est

26

d'ailleurs là qu'il l'avait rencontrée. Mais ce n'est pas tout, Karen avait trois ans de plus que Brian... elle était mère célibataire. Vous connaissiez assez bien Mabel pour vous rendre compte que cela suffisait à faire de cette malheureuse Karen une pestiférée.

— Et finalement Brian est parti avec Karen, avança la jeune femme.

— Il y a eu une scène terrible avant son départ. Brian n'est jamais revenu. Je suppose qu'il a eu des enfants avec Karen et qu'il a ouvert un cabinet d'architecte.

— D'architecte ? répéta Joséphine.

Ce renseignement allait peut-être l'aider à le retrouver, se dit-elle.

— C'est ce qu'il étudiait. Brian rêvait d'ouvrir un cabinet ici, à Boulder. Il ne manquait pas de projets, je vous assure !

— Vous aimiez beaucoup Brian, n'est-ce pas, Florence ?

— Enormément, acquiesça cette dernière avec un sourire mélancolique. Il était si charmant, le genre de jeune homme qui rappelle aux grand-mères comme moi qu'elles ont jadis été des jeunes filles en fleur... Mais il ne faut pas croire qu'il avait du succès seulement auprès des vieilles dames ! Au lycée, les filles étaient toutes folles de lui. Mabel ne cessait de se plaindre du téléphone qui sonnait du matin au soir.

— Je me demande s'il est encore aussi séduisant.

— Vous verrez bien !

— Dois-je en déduire que j'ai raison d'essayer de le retrouver ? s'empressa de questionner la jeune femme.

Les yeux de la vieille dame pétillèrent de malice alors que son sourire découvrait des dents encore parfaites. Ce n'était pas la première fois que Joséphine songeait qu'elle avait dû être d'une grande beauté dans sa jeunesse.

— Je crois qu'il a le droit de savoir, finit par déclarer Florence.

Un peu plus tard, après le départ de son amie, ce fut le défilé ininterrompu des clients qui empêcha Joséphine de faire de nouveau face à la page blanche. Quatre heures avaient sonné depuis longtemps quand elle put étaler de nouveau ses papiers sur le comptoir. Mais cette fois, elle eut davantage d'inspiration et réussit à rédiger une lettre ma foi pas trop mal tournée, laquelle devait en principe garantir que seul le *vrai* Brian Tyler se sentirait concerné et répondrait. Joséphine avait l'intention d'attendre jusqu'au lendemain, le temps d'effectuer des corrections si nécessaires, avant de la dactylographier sur la machine à écrire de sa voisine Amy. Puis elle ferait des photocopies. Malheureusement, il faudrait bien taper les adresses individuelles sur les enveloppes. La jeune femme calcula rapidement le coût de l'opération, comprenant l'achat de 800 timbres... Elle qui s'était juré de ne plus piocher dans ses maigres économies, voilà qu'elle allait être ruinée !

Un regard au ciel piqueté d'étoiles, Brian engagea sa Range Rover dans la descente qui menait au garage. Enfin, il arrivait chez lui ! Jamais la maison ne lui avait paru aussi accueillante. Après une journée de travail harassante, il n'avait qu'une idée : prendre une douche et se mettre vite au lit.

Distraitement, il ramassa le courrier dans la boîte aux lettres puis pénétra dans le salon à la décoration inexistante. Depuis qu'il avait signé le bail de location, Brian n'avait pas pris la peine de meubler les lieux. Très las soudain, il s'installa dans l'unique fauteuil. Les yeux fermés, il dénoua sa cravate, déboutonna sa chemise, laissant apparaître un torse bronzé. Puis il souleva péniblement ses paupières alourdies de sommeil et contempla les enveloppes qu'il tenait à la main. L'une d'elles attira son attention. Boulder ! Qui pouvait bien lui écrire ?

— J. Williams, lut-il tout haut.

Il ne connaissait aucun Williams, à plus forte raison un Williams vivant à Boulder ! Sans oser l'ouvrir, il contempla longtemps l'enveloppe sans bouger, se demandant si Mabel s'était enfin décidée à entrer en contact avec lui ? Cela lui ressemblait fort de passer par un intermédiaire... Elle avait toujours, dans la mesure du possible, évité de s'adresser à lui directement. Du vivant de son père, c'était ce dernier qui lui transmettait les messages et commentaires de sa mère. Brian ne s'en était aperçu que bien plus tard, quand Mabel ne semblait même plus supporter sa présence dans la maison.

Soudain, Brian éclata d'un rire bref qui résonna dans la pièce aux murs nus. Après tout, ce nétait pas parce qu'une lettre arrivait du Colorado qu'il s'agissait forcément de sa mère ! Il déchira l'enveloppe d'un coup sec.

« Cher monsieur Tyler,

Je suis à la recherche d'un certain Brian Tyler, fils de Mabel et James Tyler de Boulder. Il m'a été confié par sa mère qui est morte au printemps dernier un message ainsi qu'un petit héritage.

Si vous êtes l'homme que je cherche je vous serais reconnaissante de bien vouloir me répondre à l'adresse ci-contre. »

Suivait la formule de politesse d'usage ainsi que la signature : Joséphine Williams. Mais ce fut le post-scriptum qui confirma à Brian qu'il n'était pas en train de rêver :

P.S. Vous seriez assez aimable dans votre réponse d'ajouter un mot gentil pour Oncle Henry, cela faciliterait considérablement les choses.

Sa mère était morte. Comment avait-elle pu mourir sans qu'il le sache, sans qu'aucune fibre de son être ne l'avertisse de sa disparition ? Et à présent, pourquoi n'éprouvait-il rien ? Rien hormis un profond dégoût, le sentiment d'un triste gâchis, toutes ces années perdues...

30

Révolté, Brian froissa rageusement la lettre dans son poing avant de la lancer à l'autre bout du salon. Quel jeu cruel le sort leur avait joué ! Comment avait-il pu croire que sa mère et lui avaient l'éternité devant eux ?

3.

A la vue de l'enveloppe blanche qui semblait la narguer au fond de la boîte à lettres, Joséphine fouilla impatiemment sa sacoche à la recherche d'un de ses trois trousseaux de clés.

— Combien de fois faut-il te répéter que si tu te débarrassais de cette valise que tu appelles un sac à main, tu resterais moins souvent à la porte de chez toi ? Un sac n'est censé contenir que le strict nécessaire.

Le sourire aux lèvres, la jeune femme se retourna aussitôt pour croiser le regard malicieux de sa voisine. Amy Feinstein s'avançait vers elle de son pas dansant, ravissante dans un tailleur rose. Bien qu'Amy fût plus grande qu'elle, et beaucoup plus ronde, elles étaient toutes les deux des blondes au teint éclatant. Il n'était pas rare qu'on les prenne souvent pour des sœurs, ce qui les amusait énormément. Depuis trois ans, date de son emménagement dans l'immeuble, Amy était sa meilleure amie.

— Je l'ai pourtant rangé la semaine dernière, marmonna Joséphine en secouant vigoureusement la besace contre son oreille. Je les entends… Mais pourquoi est-ce que je n'arrive pas à les voir ?

— Regarde ça ! fit Amy en plongeant la main dans son élégant petit sac en cuir.

D'un air triomphant, elle en sortit un anneau auquel étaient attachées cinq clés.

— Quelle vantarde ! riposta Joséphine en renversant le contenu de son propre sac par terre.

— Pas d'individus suspects au magasin aujourd'hui ? Ni de silhouette inquiétante dans le quartier ? continua son amie en triant son courrier, le dos appuyé au mur.

En guise de réponse, Joséphine soupira tout haut. L'autre soir, elle avait commis l'erreur fatale de raconter à Amy l'histoire des huit cents lettres envoyées à Brian Tyler, et surtout de préciser qu'elle avait donné sa propre adresse. Toujours pragmatique et sans illusion sur le genre humain, Amy lui avait prédit les pires malheurs. A l'entendre, elle allait à coup sûr être la victime d'un B. Tyler atteint de folie, un maniaque doublé d'un voleur persuadé qu'elle transportait l'héritage sur elle, ou qu'elle le cachait dans son appartement…

— Si tu continues à être si méfiante, Amy, tu vas finir comme Mabel Tyler.

— Du moins vivrais-je vieille, ce qui n'est pas le cas de tout le monde… As-tu averti la police de ce drôle de coup de téléphone que tu as reçu hier soir ? continua Amy en ignorant l'exclamation de triomphe de son amie qui venait de trouver sa clé.

— Tout le monde reçoit à un moment ou un autre de drôles de coups de téléphone, répliqua Joséphine en s'emparant avec impatience de la lettre. Si je t'invite à dîner ce soir, tu me promets de ne plus mentionner cette histoire ?

— Mon silence n'est pas à vendre.

— Depuis quand ?

Amy était une cuisinière si exécrable, qu'elle était toujours ravie d'être conviée à la table de ses amies.

— Depuis que je dîne avec Steve au restaurant chinois avant d'aller au cinéma.

Ainsi, Amy ne serait pas là ce soir. Joséphine se rendit compte soudain à quel point elle avait compté sur la présence de son amie. Puis, chassant de son esprit ses craintes absurdes, elle répliqua calmement :

— Dois-je en déduire qu'il y a du nouveau entre vous ?

— Non. Steve est trop narcissique pour tomber amoureux.

— Dans ce cas, pourquoi sors-tu avec lui ? Pour ma part, je préférerais passer la soirée devant la télévision que de dîner en tête-à-tête avec un type qui ne pense qu'à lui !

Entre-temps, elle avait déchiré l'enveloppe dont l'expéditeur était un certain Brian Tyler, de Provo, Utah.

— Il m'amuse, que veux-tu, riposta Amy.

Elle se pencha par-dessus l'épaule de Joséphine pour lire avec elle :

« Chère madame Williams,

La nouvelle de la mort de ma mère m'a fait une peine immense. Seule la pensée qu'elle ne m'avait pas oublié me console un peu, même si elle ne m'a pas laissé grand-chose.

Vous ne me demandez pas de preuve de mon identité, mais vous trouverez tout de même ci-joint mon extrait de naissance.

Je vous serais reconnaissant de bien vouloir m'envoyer la somme qui me revient le plus rapidement possible car ma fille cadette, qui ressemble tellement à sa chère grand-maman, Mabel, doit bientôt être hospitalisée et vous savez combien la maladie coûte cher.

Quant à l'Oncle Henry, je ne suis pas étonné que maman vous ait parlé de lui. Il était son frère préféré et m'affectionnait tout particulièrement. »

La lettre était signée : « Brian Tyler. »

Joséphine replia la feuille de papier et la glissa dans son enveloppe.

— Je te l'avais bien dit ! lança Amy avec un regard accusateur.

— C'est vrai. Dans ma naïveté, je n'ai pas pensé à ceux qui allaient tirer avantage de la situation.

— Et au moins celui-ci est loin, insista son amie. Dieu sait quelles idées tu as fait germer dans la tête de tous ces Tyler !

36

— Tu dois avouer qu'il a été assez malin pour annoncer qu'il joignait un extrait de naissance à sa lettre. Je pourrais croire en ne le trouvant pas qu'il l'a simplement oublié. Un fou n'aurait pas songé à une chose pareille, non ?

— Je suis sûre qu'il s'agit seulement d'un opportuniste, la rassura Amy, prenant pitié d'elle. Quand il verra que tu ne réponds pas, il abandonnera toute l'affaire.

— Merci, Amy. Heureusement que tu es là, fit Joséphine en souriant à son amie.

— Allons, montons prendre un verre, nous avons toutes les deux bien besoin d'un petit remontant...

Pour la première fois depuis qu'elle habitait l'immeuble, la jeune femme se rendit compte à quel point le vestibule et les couloirs sans fenêtres étaient mal éclairés. Et si un homme, un des huit cents B. Tyler, la guettait dans l'ombre ? Un frisson la parcourut à cette idée.

Joséphine s'apprêtait à rentrer chez elle lorsqu'elle entendit crier son amie. Son sang se glaça dans ses veines. Les craintes d'Amy se matérialisaient ! Elle fit aussitôt volte-face et suivant la direction du regard d'Amy, vit une silhouette masculine se détacher du mur à l'autre bout du couloir. Un hurlement monta alors dans sa gorge...

Brian se maudit intérieurement de ne pas avoir averti plus tôt les deux femmes de sa présence.

— Je suis désolé... Je n'avais pas l'intention de

vous effrayer, déclara-t-il avec un sourire d'excuse destiné à les rassurer. Je m'appelle Brian Tyler, je suis venu voir...

Le cri que s'apprêtait à pousser Jo mourut au bord de ses lèvres. A la place elle questionna :

— Comment êtes-vous arrivé ici ?

— En voiture, répondit-il sans relever l'absurdité de la question.

— Pourquoi ? enchaîna Joséphine qui se remettait lentement de sa peur.

— Parce que je cherche une certaine Miss Williams. J'ai quelques questions à lui poser à propos d'une lettre qu'elle m'a envoyée.

— Quel genre de questions ? intervint Amy.

— Etes-vous Miss Williams ? Je préférerais ne pas avoir à me répéter, si cela ne vous gêne pas trop.

— Miss Williams n'habite plus ici, elle est partie pour Denver la semaine dernière.

— Un déménagement quelque peu hâtif, non ? rétorqua Brian.

Il regarda les deux femmes tour à tour. Laquelle était l'auteur de la lettre ? Puis il ajouta non sans malice :

— J'étais persuadé qu'elle brûlait de savoir ce qui était arrivé à Oncle Henry !

A ces mots, Joséphine laissa tomber ses clés par terre. Tout en se baissant pour les ramasser, elle prononça d'une voix tremblante :

— Pourquoi ne pas nous le dire ? Nous le lui transmettrons la prochaine fois qu'elle viendra.

38

— Comment savoir si je peux vous faire confiance ? riposta-t-il.

Il était convaincu que Joséphine était la plus mince des deux, et à son avis, la plus jolie.

— C'est nous ou rien du tout, lança Amy d'un ton sans réplique.

— Je vois... Bon, puisque vous ne me laissez pas le choix... Oncle Henry et moi étions les plus grands amis du monde. Je l'ai rencontré quand j'avais huit ans, dans un terrain vague. Je l'ai invité à dîner, et il est resté chez nous dix ans. Puis, un beau matin, il a disparu... Sacré Oncle Henry, il était sûrement le chien le plus laid de Boulder, mais quel personnage ! Jamais je n'ai retrouvé un meilleur ami... Ma mère détestait Oncle Henry...

Joséphine laissa échapper un soupir de soulagement. Ainsi elle avait trouvé le fils de Mabel !

— Comment avez-vous deviné que j'étais Joséphine Williams ?

— Votre amie cherchait trop visiblement à vous protéger, répondit-il en indiquant Amy d'un signe de tête.

— Tu es sûre qu'il s'agit du bon ? interrogea cette dernière en se rapprochant de Joséphine.

— Ne t'inquiète pas, Amy. Tout est arrangé. Va te préparer pour ta soirée...

— Mais...

— Amy, je t'en prie, je ne risque rien !

Sur ce, elle ouvrit sa porte et invita Brian à la suivre.

— Si j'ai bien compris, Miss Williams, déclara-t-il en se tournant vers Joséphine, vous avez eu des petits problèmes avec mes homonymes ?

— Pas vraiment, vous êtes simplement tombé à un mauvais moment. Mais appelez-moi Jo, je vous en supplie, monsieur Tyler.

— Brian, appelez-moi Brian.

Il rit et prit sa main dans la sienne.

A ce contact, Joséphine se sentit gagnée par une douce chaleur. Elle n'avait pas remarqué jusqu'ici — sans doute la crainte l'avait-elle aveuglée — à quel point le fils de Mabel était séduisant. Florence n'avait en effet pas menti. Il était encore plus grand qu'elle se l'était imaginé, et beaucoup plus beau.

— J'aurais voulu vous rencontrer dans d'autres circonstances, s'entendit-elle prononcer.

Brian lâcha sa main comme à regret.

— Vous m'avez écrit que ma mère était morte au printemps...

— Elle n'a pas souffert. Mabel regardait la télévision chez son amie Florence Pickford... Une crise cardiaque, foudroyante.

— Je suis heureux que Florence ait été à ses côtés.

— Elles étaient inséparables. Votre mère n'avait pas beaucoup d'a... c'est-à-dire, rectifia-t-elle en se mordant les lèvres, Mabel était plutôt solitaire...

— Ne soyez pas gênée, je sais combien ma mère était peu aimable, fit Brian, sans s'émouvoir.

Joséphine lui adressa un sourire reconnaissant.

— Asseyez-vous, fit-elle en lui indiquant le sofa. Je vais préparer du thé glacé. J'en ai pour une minute...

Après le départ de la jeune femme, Brian au lieu de s'asseoir, traversa la pièce coquettement meublée, pour se poster à la fenêtre. *Boulder*... Dire qu'il était de retour à Boulder, songea-t-il, le cœur lourd. Il s'était attendu à être assailli par un flot de souvenirs douloureux, mais il ne ressentait rien de tel, même pas du chagrin, seulement une poignante mélancolie. Les années de tension, de mésentente avec sa mère étaient comme effacées, éliminées par son enfance heureuse... Comme le monde alors lui semblait beau. Son père vivait encore, et sa mère était une jeune femme gaie, et si insouciante...

A son retour, Joséphine trouva Brian si profondément absorbé par ses pensées, qu'il ne remarqua même pas sa présence. Immobile sur le seuil, son plateau à la main, elle l'examina tout à loisir, impressionnée par sa présence. Il détonnait dans ce décor si féminin où dominait le mauve pâle. De profil, Brian avait le même nez légèrement aquilin que sa mère, mais pour le reste, elle était incapable de distinguer les ressemblances. Mabel avait été si vieille et aigrie quand elle l'avait connue. Et si les yeux de Brian étaient bleus comme ceux de Mabel, les siens reflétaient l'intelligence et la bonté alors que ceux de la vieille dame...

Elle en était là de ses réflexions, lorsque le jeune homme se détacha de la fenêtre pour s'approcher d'elle.

— Vous trouvez que nous nous ressemblons ?

— Non, répondit-elle sans hésiter malgré sa surprise. Vous n'êtes pas du tout tel que je vous imaginais.

— Est-ce bien ou mal ?

— Bien. J'avais peur...

Joséphine se mordit de nouveau les lèvres. Voilà qu'elle recommençait !

— Je sais, déclara gravement Brian alors qu'elle posait son plateau sur la table. Je suis mieux placé que personne pour savoir comment était ma mère.

Tout en lui tendant un verre de thé, Joséphine remarqua :

— C'est justement une des raisons qui m'a poussée à vous retrouver. Votre mère avait beaucoup changé au cours de sa dernière année. Elle souhaitait vous revoir, vous et Karen. Avant tout, elle tenait à se faire pardonner, et à connaître ses petits-enfants...

Elle s'arrêta et retint son souffle. Brian répliqua avec un temps de retard :

— Vous m'étonnez, Jo.

Joséphine devint écarlate. Elle n'avait jamais su mentir. Rassemblant son courage, elle reprit :

— Comme vous le savez déjà grâce à ma lettre, votre mère m'a confié un petit héritage à vous transmettre. En fait, ce sont des bijoux. Ses bijoux de famille et ceux que votre père lui avait offerts. Elle ne pouvait supporter l'idée de les abandonner à des étrangers. Il n'y a rien d'autre que les bijoux, pas d'argent. Elle était sûre de votre réussite. Persuadée que vous n'aviez pas besoin de son aide, elle a légué toute sa fortune à une œuvre...

— C'est-à-dire ?

— Une association du troisième âge qui s'appelle « Le club des Aînés. »

— Eh bien tant mieux! Mais il y avait peut-être des causes plus nécessiteuses que celle-là!

Joséphine ouvrit la bouche pour protester, car après tout, la plupart de ses amis de la résidence appartenaient à cette organisation dont l'objectif était de revaloriser le statut du troisième âge. Puis, se ravisant, elle se tut. Compte tenu du comportement que sa mère avait eu à son égard, Brian ne devait pas avoir de tendresse particulière pour les gens âgés...

— Le seul bijou que j'aie ici est cette bague, dit-elle en faisant glisser le solitaire sur son annulaire. Le reste se trouve en sécurité dans un coffre à la banque.

Les yeux fixés sur le diamant qui jetait mille feux au creux de sa paume, le jeune homme se remémora soudain sa grand-mère qui le lui avait légué dans son testament. Mabel devait le lui remettre à sa majorité; il était destiné à sa future épouse... Et soudain le flot des souvenirs retenu jusqu'ici le submergea; tant d'illusions perdues, tant de vies gâchées... celle de sa mère, de Karen, la sienne... Le bonheur n'existait pas sur cette terre.

Plein d'amertume, il murmura:

— Merci, Joséphine. J'apprécie le mal que vous vous êtes donné.

— J'espère que vous ne m'en voulez pas de l'avoir portée, reprit la jeune femme. Mais votre mère tenait à ce qu'elle ne reste pas au coffre. Elle la destinait à Karen, qui la léguerait ensuite à ses petits-enfants...

Joséphine s'arrêta, tremblante d'émotion. Jamais elle n'avait menti avec un tel aplomb. Mabel ne lui avait-elle pas offert la bague à la condition expresse qu'elle ne tombe pas entre les mains de cette « fille de peu », comme elle appelait crûment l'épouse de son fils?

— Il n'y a pas de petits-enfants, déclara Brian en caressant le solitaire du bout du doigt. Il n'y a pas de Karen...

— Que voulez-vous dire par « il n'y a pas de Karen? » s'écria Joséphine en écarquillant les yeux.

44

4.

...

Brian, stupéfait par la véhémence de la jeune
femme, posa son verre de thé glacé sur la table et
leva vers Joséphine un regard interrogateur.

— Je n'ai pas revu Karen depuis huit ans.

— Huit ans ? répéta-t-elle, atterrée. Vous n'allez
pas me dire que Mabel et vous, vous êtes restés
fâchés pendant tout ce temps à propos d'une affaire
qui n'avait même pas eu lieu !...

Et elle qui s'était rongée de culpabilité depuis la
mort de la vieille dame en songeant qu'elle n'avait
pas le droit de garder des bijoux qui appartenaient
à une autre ! La détresse de Joséphine avait cédé la
place à la colère.

— ... Cela dépasse l'imagination ! Je trouvais
déjà Mabel têtue, mais vous, vous êtes encore pire !

Brian fronça les sourcils, manifestement mécontent.

— Je ne vois vraiment pas en quoi cela vous

concerne, Miss Williams, répliqua-t-il sèchement. Et je vous rappelle que ce n'est pas moi qui suis venu vous chercher !

Il avait raison, évidemment, songea-t-elle, honteuse de la violence de sa réaction qui ne se justifiait pas.

— Excusez-moi, fit-elle. Je ne sais pas ce qui m'a pris. Il est vrai que cela ne me regarde pas.

A la vue de la mine déconfite de la jeune femme, Brian esquissa un sourire.

— Bon, si nous reprenions cette conversation depuis le commencement ? suggéra-t-il d'un ton adouci.

Joséphine étouffa un soupir de soulagement. Après avoir bu une gorgée de thé, elle lui rendit son sourire.

— D'abord, dites-moi lequel de mes B. Tyler vous êtes.

— Combien en avez-vous ?

— Huit cents. Seulement dans le Colorado et les Etats voisins.

— J'habite Casper, dans le Wyoming. Suis-je le seul ?

— D'après mon souvenir, oui, dit Joséphine en soutenant l'éclat de son regard bleu. Je suppose qu'il n'y a pas beaucoup de travail dans une petite ville comme ça pour un architecte...

— Pourquoi penser que je suis architecte ?

— Comment ?

— Vous-même, êtes-vous architecte ? interrogea Brian perplexe.

— Moi ? Mon dieu, non ! Quelle idée !

— Avouez que c'est déconcertant d'entendre un inconnu vous parler de vous comme s'il vous connaissait, rétorqua le jeune homme, de nouveau exaspéré.

Joséphine baissa la tête et joua un instant avec le cendrier en argent de la table à café.

— Je suis navrée, mais je ne peux pas m'en empêcher. On m'a tant raconté de choses sur vous...

— Bien, fit Brian en hochant la tête, dans ce cas, il faudrait que nous nous mettions à égalité.

— Je ne comprends pas...

— J'aimerais tout simplement faire plus ample connaissance avec vous.

Joséphine se rembrunit. C'était bien ce qu'elle craignait. Elle qui détestait s'appesantir sur elle-même !

... Mais peut-être ses confidences l'encourage-raient-il à lui dire ce qui était arrivé à Karen.

— Il n'y a rien d'intéressant à savoir. J'ai vingt-six ans. Il y a cinq ans que je suis installée à Boulder. J'étais venue pour soigner ma grand-mère qui s'était cassé le col du fémur. C'est comme cela que j'ai rencontré Mabel. Votre mère était la voisine de palier de ma grand-mère. Quand je descendais faire les courses, je m'arrêtais toujours chez elle pour lui demander si elle avait besoin de quelque chose. C'est ainsi que nous sommes devenues amies...

— Je présume que vous ne vivez plus avec votre

grand-mère, interrompit un peu brutalement le jeune homme.

— Elle est morte au printemps qui a suivi son accident.

— Pardonnez-moi, je...

C'était au tour de Brian d'être embarrassé. Il sentait qu'il avait été trop loin.

— Cela fait presque quatre ans et elle me manque encore, avoua Joséphine.

Il s'ensuivit un long silence, que Brian finit par rompre.

— Où habitiez-vous avant de venir à Boulder? Dans le Colorado?

— Non, en Californie. Je venais de terminer ma première année d'université.

— Pourquoi n'êtes-vous pas retournée là-bas pour terminer vos études après la mort de votre grand-mère?

— Ça, c'est toute une histoire! s'exclama-t-elle avec un petit sourire.

— Je ne suis pas pressé.

Joséphine hésita un instant avant de déclarer:

— Après deux mois de soins intensifs, la santé de ma grand-mère alla mieux. Je n'avais plus besoin de me trouver constamment à son chevet. Un jour, j'ai remarqué que le salon de thé proche de la résidence où nous habitions liquidait son commerce et cédait son bail. Ma grand-mère en était désolée. C'était dans ce salon que se retrouvaient les membres du « Club des Aînés. » S'il fermait, ils allaient perdre leur salle de réunion favorite. Cela

48

m'a donné une idée et j'ai décidé de reprendre le bail. Mais au lieu de ne vendre que des glaces, j'ai voulu servir des gâteaux, des thés aux parfums rares pour rendre l'endroit plus agréable.

— Comment marchent les affaires?

— Cela dépend si vous comptez votre fortune en argent ou en amis...

— Le salon nouvelle version n'a pas eu le succès escompté?

— C'est le moins que l'on puisse en dire! Si j'étais plus près de l'université, l'endroit ne désemplirait pas. Enfin, je n'ai pas à me plaindre, je survis. Ce qui n'est pas trop mal après tout, considérant que ce n'est pas le cas de tous les commerçants du quartier, conclut-elle non sans une certaine fierté.

— Avez-vous songé à vendre votre boutique pour retourner à l'université? questionna Brian.

Comment une jeune femme à l'air si dynamique pouvait-elle se satisfaire d'une situation ma foi assez modeste? Ce mystère intriguait Brian.

— Il y a des moments où j'y songe même très sérieusement, admit Joséphine.

— Mais?

— Mais je ne peux pas abandonner mes amis. Sans moi, ils ne sauraient pas où aller... N'allez pas croire que je suis une pauvre sentimentale victime de son bon cœur, enchaîna-t-elle en croisant son regard. Ces gens m'apportent énormément.

— Oui, mais à cause d'eux, vous perdez de l'argent. Ce n'est guère raisonnable, avec ces mé-

thodes, vous ne gagnerez jamais un fauteuil direc-
torial...

— Qu'est-ce qui vous fait supposer que cela
m'intéresse ?

— La simple logique. Vous poursuiviez bien des
études d'économie et de gestion avant l'accident de
votre grand-mère. Sinon, comment à un si jeune
âge, peut-on avoir l'aplomb de prendre un
commerce simplement pour passer le temps ?

— De toute façon, si je retourne à l'université,
j'étudierai la sociologie. L'économie ne m'intéresse
plus.

— Ah... A propos, vous n'avez pas faim, Jo ?

C'était la première fois qu'il l'appelait par son
prénom. Joséphine sursauta, parcourue d'un frisson inexplicable. En silence, elle acquiesça.

— Tant mieux. Je n'ai pas mangé de cuisine
italienne depuis que j'ai quitté Boulder. Sans doute
savez-vous si la *Tour Penchée* existe encore, ils
avaient des pâtes succulentes ! Il y a des années que
je rêve d'un plat de lasagnes... Si la *Tour Penchée*
n'est plus là, je mange mon chapeau ! s'exclama-t-il
en levant les bras au ciel.

Joséphine ne put s'empêcher de rire.

— Vous n'avez pas de chapeau, mais de toute
façon, rassurez-vous, votre *Tour Penchée* était encore debout, il y a trois jours, cela m'étonnerait
qu'elle se soit écroulée depuis.

— Ah, mais si vous y avez été, il y a trois jours,
je ne peux pas vous y entraîner ce soir !

Le rire cristallin de la jeune femme résonna de

nouveau dans le petit salon et elle soutint le regard de ses yeux bleus en souriant. Quel charme avait cet homme! Cela dépassait la simple séduction... Comment cette femme, Karen, avait-elle pu l'abandonner? A moins que ce ne fût lui...

— Dois-je donc vous supplier de m'y emmener? taquina-t-elle. Seulement, il faut m'accorder une minute pour me changer.

Brian détailla rapidement son corsage blanc, sa jupe verte et ses sandales à talons plats.

— Vous êtes parfaite ainsi, affirma-t-il sincèrement.

En fait, Jo était non seulement dotée d'une élégance naturelle, mais elle était belle, *très* belle. Une superbe chevelure blonde qui balayait ses épaules formait un halo doré autour de son visage à l'ovale exquis où brillaient deux grands yeux couleur d'émeraude. Un nez droit, une bouche fine au dessin délicat et sensuel...

— Je vous remercie mais j'y tiens. Si vous voulez, il y a encore du thé glacé dans le réfrigérateur, lança-t-elle par-dessus son épaule avant de s'enfermer dans sa chambre.

— Votre thé est délicieux, j'accepte volontiers, répondit-il à la porte close.

Il alla se servir et aperçut avec surprise du sucre de régime sur la table. Joséphine Williams ne faisait tout de même pas de régime! Elle avait un corps superbe, des courbes délicieusement féminines et... Mécontent, il se reprit. C'était étrange comme la jeune femme le fascinait. Pourtant, il la connaissait à peine!

Après avoir rempli à ras bord un verre de thé, Brian retourna s'asseoir au salon, sur le sofa fleuri tendu de chintz. Dix minutes plus tard, alors qu'il était plongé dans un article sur l'expansion de Boulder, la porte de la chambre de la jeune femme s'ouvrit.

Dans une robe jaune qui soulignait discrètement sa silhouette, la jeune femme lui apparut éblouissante. Une beauté blonde et dorée, songea-t-il en lui souriant.

Joséphine répondit à son sourire en rougissant. Elle n'avait pourtant pas l'habitude de tant s'émouvoir des regards admiratifs.

— Allons-y ! fit-elle en ramassant sa sacoche sur un fauteuil. Sinon vous risquez de ne plus avoir de lasagnes !

Brian se leva pour lui emboîter le pas.

— Vous savez, en vous attendant, j'ai réfléchi. Je me demande finalement si ma mémoire n'a pas un peu exagéré l'excellence de la cuisine de la *Tour Penchée*.

— La mémoire peut parfois vous jouer de drôles de tours, c'est le cas de le dire ! Nous prendrons un pichet de vin avant le repas, histoire d'endormir un peu nos papilles gustatives, plaisanta-t-elle.

En sortant de l'appartement, elle croisa Amy. Son amie était vêtue d'une robe bleu roi extrêmement moulante. Des talons de dix centimètres complétaient cette tenue provocante. Manifestement, Amy sortait ce soir...

— Quelle chance de tomber sur vous deux,

lança-t-elle un peu trop vite. Justement, je venais te voir, Jo. Tu te souviens de ta promesse de me donner cette recette de confiture de pêches ? Mais puisque tu pars, je te téléphonerai ce soir, si cela ne te dérange pas trop. Au fait, à quelle heure comptes-tu être rentrée ?

Abasourdie par ce flot de paroles, Joséphine bredouilla :

— Je... Je ne sais pas...

— Oh, tu n'as pas besoin d'être précise à la minute près. L'heure approximative suffira. Je n'ai pas l'intention de me coucher tôt ce soir.

Joséphine jeta un coup d'œil interrogateur à son compagnon. Mais comme ce dernier restait imperturbable, elle se tourna de nouveau vers sa voisine :

— Je pense être de retour vers minuit.

— Parfait ! Cela me permettra de me mettre aux fourneaux dès demain matin, annonça Amy en adressant un petit sourire crispé à Brian. Bon, eh bien, amusez-vous ! termina-t-elle en reculant dans le couloir dans la direction de son appartement.

Inquiète devant l'attitude bizarre de son amie, la jeune femme la suivit jusqu'à sa porte.

— Tu ne te sens pas bien ? interrogea-t-elle à voix basse.

Amy acquiesça avec une grimace et déclara avec une gaieté forcée :

— Si, si, à ce soir, vers minuit !

Joséphine fronça les sourcils, salua Amy avant de rejoindre Brian sur le palier.

Quelques minutes plus tard, ils étaient dans la

rue et marchaient en direction du restaurant qui se trouvait à une dizaine de minutes à pied.

— Votre amie est-elle toujours aussi protectrice envers vous ? s'enquit-il soudain.

— Mais bien sûr ! s'écria Joséphine en se frappant le front. Que je suis bête !

Elle avait été tellement préoccupée par Brian qu'elle en avait oublié le coup de téléphone anonyme, la lettre du faux Brian Tyler trouvée tout à l'heure dans sa boîte aux lettres.

— Souvent, admit volontiers la jeune femme. J'ignore pourquoi, mais les gens veulent toujours me protéger.

— Peut-être parce que vous avez l'air tellement naïve.

— Naïve ? répéta-t-elle, vexée.

— Oui, il faut être vraiment innocent pour donner son adresse personnelle quand on envoie un courrier à huit cents personnes.

— Oh non, pas vous ! soupira la jeune femme.

— Je vois que je ne suis pas le premier à vous en faire la remarque, cela ne m'étonne pas. Vous auriez pu utiliser par exemple une boîte postale.

— Il y avait une liste d'attente de deux mois à la poste, répliqua Joséphine.

— Et votre magasin, vous auriez pu leur donner l'adresse de votre salon de thé.

— J'y ai pensé mais cela m'a paru un peu trop impersonnel.

Le jeune homme hocha la tête.

— Pendant que vous y étiez, pourquoi n'avez-vous pas gardé les bijoux de ma mère chez vous ?

Il ne croyait pas si bien dire! C'était Amy qui l'avait forcée à les sortir du tiroir de sa commode pour les déposer dans un coffre à la banque.

— Ils sont bien à la banque? insista-t-il d'une voix anxieuse, comme elle tardait à répondre.

Mais avant qu'elle ait eu le temps de le rassurer, il s'immobilisa subitement les yeux fixés sur une grande bâtisse en bois.

— Qu'y a-t-il? s'enquit la jeune femme.

— Là, c'est la maison où j'ai grandi.

Sa voix était altérée par l'émotion. Plus doucement Joséphine reprit:

— Elle est magnifique. Je sais que beaucoup de ces vieilles demeures sont très anciennes et font partie du patrimoine de la ville, mais celle-ci est la plus belle. Je l'admire tous les jours quand je passe devant.

— Elle a été construite par mon grand-père. Il était arrivé au Colorado sans un sou, comme beaucoup de colons, et il a fait fortune dans les mines d'argent. Quand il eut terminé sa maison, il se mit en quête d'une femme.

— Je croyais qu'en général, c'était le contraire, observa Joséphine. D'abord le mariage, ensuite le foyer.

— Si vous aviez connu mon grand-père, vous comprendriez.

— Je suppose qu'il était très beau.

— Et très riche, ce qui ne gâte rien.

— Quand votre famille a-t-elle vendu la maison? interrogea la jeune femme après une pause.

Brian resta un instant muet de surprise.

— Vous venez de m'apprendre quelque chose que j'ignorais, Jo, finit-il par articuler. La possibilité que cette maison ne soit plus dans la famille ne m'avait même pas effleuré.

— C'était une question idiote, pardonnez-moi.

Alors, d'un geste plein de tendresse, il la prit par les épaules.

— Ne vous excusez pas. Connaissant ma mère, je n'aurais pas dû être étonné. Elle m'en voulait tant... Je suis d'ailleurs de plus en plus étonné, sidéré même qu'elle ait laissé ses bijoux à Karen...

Les joues de Joséphine se colorèrent légèrement tandis qu'elle s'empressait de dire :

— D'après Florence, votre mère était très différente autrefois.

Sans remarquer ses efforts pour changer de sujet, le jeune homme acquiesça :

— De temps en temps, je me demande si cette autre personne a existé autrement que dans l'imagination de mon père. C'est comme si la jeune mère de mon enfance s'était éteinte en même temps que lui, comme si mon père parti, elle n'avait plus de raison de jouer le rôle qu'il lui avait assigné et pouvait enfin révéler sa véritable personnalité.

— Ne soyez pas trop dur, Brian. Cette femme que vous décrivez existait réellement, moi aussi je l'ai rencontrée.

Elle ne mentait qu'à moitié. Car malgré son aigreur, Mabel avait ce que Joséphine considérait « des moments de grâce », où elle se montrait telle qu'elle avait dû être autrefois, charmante, drôle, généreuse. Ces moments étaient rares mais avaient suffi à la lui rendre attachante. Sinon, pourquoi se serait-elle donné tant de mal pour préserver sa mémoire?

— C'est possible, mais de toute façon, quelle importance, maintenant? Il est trop tard...

Mabel avait dû être très dure pour qu'il refuse de lui pardonner, même après sa mort?

— Méfiez-vous, si vous continuez ainsi, vous allez devenir aussi aigri que votre mère.

Aussitôt, Brian ôta son bras des épaules de la jeune femme et mit ses mains dans les poches de son blouson en daim.

— Gardez vos commentaires pour vous, Jo, vous me décevez avec votre mauvaise psychologie.

— Comment pouvez-vous vous permettre de me juger, alors que notre rencontre remonte à une heure à peine! s'éleva-t-elle, furieuse tout à coup. Entendu, je ne vous connais pas mieux que vous me connaissez...

— Exactement. Et c'est pourquoi je vous serais reconnaissant de cesser de me traiter comme si vous m'aviez vu naître! Sachez que j'ai beaucoup changé en huit ans. Je ne suis plus le même homme qui a quitté Boulder!

— Toujours est-il que vous êtes aussi têtu que votre mère!

De nouveau Brian s'immobilisa et passant une main dans ses cheveux d'un geste exaspéré, soupira:

— Pourquoi ne vous mêlez-vous pas de ce qui vous regarde, enfin?

Comme si on lui avait donné une gifle, Joséphine esquissa un mouvement de recul. Elle qui détestait les scènes, voilà qu'elle se disputait en pleine rue avec un homme, presque un inconnu!

— Je crois qu'à la réflexion, ce dîner est une erreur, déclara-t-elle d'un ton glacial. Allez-y sans moi, je rentre à la maison. Nous nous retrouverons lundi matin devant la porte de l'*Arapahoe National Bank*. Au croisement d'Arapahoe Avenue et de la trente-troisième rue. Au revoir, Brian.

Brian la rattrapa par le bras, comme elle s'éloignait, l'obligeant à le regarder droit dans les yeux.

— Vous êtes évidemment libre de refuser, mais si je vous promets de bien me tenir désormais, accepterez-vous de dîner avec moi ce soir?

Il y avait une lueur de malice dans son regard, et quelque chose d'autre, du désir, qui fit frissonner Joséphine.

— Alors, que décidez-vous?

Elle baissa les paupières pour lui dissimuler son émoi. Florence avait eu mille fois raison de la mettre en garde contre sa séduction. Et en dépit de cela, voilà qu'elle tombait dans le piège... Mais lundi, quand elle lui aurait donné les bijoux, ce serait fini, elle ne le reverrait jamais plus... elle n'entendrait plus jamais parler de la famille Tyler!

— Entendu, murmura-t-elle presque, mais à une condition.

— Laquelle? s'enquit-il, intrigué.

58

— J'arrête de jouer les psychologues amateurs si vous cessez de vous mettre en colère chaque fois que j'évoque le passé.

— C'est tout?

— Pour l'instant.

— Faut-il que je jure sur la Bible?

— Ce ne sera pas nécessaire.

— Dans ce cas, je vous donne ma parole de rester d'un calme olympien quoi qu'il arrive. Mais si nous ne nous dépêchons pas, nous n'aurons plus rien à manger.

Un peu plus tard, après un repas aussi copieux que savoureux, Brian raccompagna Joséphine chez elle.

— Vous montez prendre un café? proposa-t-elle sans arrière-pensée.

— Merci. J'espère que vous avez apprécié combien j'ai été sage.

La jeune femme acquiesça en riant. En effet, ils avaient abordé toutes sortes de sujets, de la politique à la littérature, sauf ceux qui leur tenaient à cœur. Brian lui avait cependant raconté certaines de ses aventures à Casper quand il avait monté son entreprise de bâtiment. Bref, ils avaient échangé un bon nombre de plaisanteries et se sentaient de joyeuse humeur.

— Et puis j'ai besoin d'un bon café bien fort avant de reprendre la route.

Il lui faudrait aussi encore trouver un hôtel où passer la nuit.

Une minute après, Joséphine l'invita à prendre place sur le canapé fleuri.

— Je reviens tout de suite ! dit-elle du seuil de la cuisine. Installez-vous confortablement.

Il suivit son conseil scrupuleusement.

A son retour, quelle ne fut pas la surprise de la jeune femme de trouver son invité profondément endormi, la tête sur le bras du canapé et les jambes repliées sur les coussins !

La première réaction de Joséphine fut de le secouer par l'épaule pour le réveiller. Mais à la vue de son beau visage paisible, que le sommeil rendait à l'innocence, elle se ravisa et sortit une couverture du placard dont elle le recouvrit avec des gestes empreints de tendresse. Comme elle prenait le chemin de sa chambre, on frappa à sa porte. Elle tressaillit, et constata que Brian n'avait pas bougé. Rassurée elle courut ouvrir. Dans sa précipitation, elle se cogna l'orteil contre le pied de la table à café. Effrayée par le son de sa propre voix alors qu'il lui échappait une exclamation de douleur, elle se tourna de nouveau vers le jeune homme. Il dormait toujours aussi paisiblement. Comme il devait être épuisé...

Amy se tenait sur le pas de la porte, le poing levé, prête à frapper de nouveau.

— Il était temps ! s'exclama-t-elle en dévisageant sévèrement son amie. Je commençais à m'inquiéter... Mais pourquoi fais-tu cette grimace ?

— Tout va bien, va te coucher, chuchota la jeune femme.

— Mais qu'as-tu? Tu as mal quelque part?

— Je crois que je me suis cassé le doigt de pied, articula Joséphine d'une voix à peine audible.

— Montre-moi, ordonna Amy en se penchant. Lequel?

— Le droit.

Après avoir tâté le pied de Jo, Amy releva la tête et aperçut Brian sur le sofa.

— Quoi! s'exclama-t-elle. Il n'avait pas assez d'argent pour aller à l'hôtel?

— Brian était épuisé. Il s'est endormi pendant que je préparais du café. Je n'ai pas eu le courage de le réveiller.

— Si tu avais deux sous de bon sens, je pourrais espérer que tu acceptes mon hospitalité pour cette nuit, mais je suppose que c'est peine perdue... Mais au moins, dis-moi combien il est galant et bien élevé, juste pour me rassurer...

— Crois-moi, Amy, Brian est un homme vraiment exceptionnel.

Amy la considéra longuement avec une perplexité mêlée de crainte:

— Je suis là si tu as besoin de moi, ne l'oublie pas.

— Merci, Amy, fit Joséphine en refermant doucement la porte. Et au fait, veux-tu toujours cette recette de confiture de pêches? ajouta-t-elle, les yeux brillant de malice.

— Je sais, ce n'était pas très subtil. Mais je n'ai pas trouvé autre chose sur le moment!

— Il n'a pas été dupe, tu sais.

Amy mit sa main sur son cœur, comme si elle avait été blessée par les propos de Jo.

— Ta robe et tes hauts talons t'ont trahie.

— Dois-je comprendre que seules les filles mal habillées font des confitures? repartit vivement Amy en se détournant pour rentrer chez elle.

— Amy!

— Oui?

— Merci.

— De rien. Après tout, si je ne veillais pas sur toi, il pourrait t'arriver n'importe quoi.

Après avoir souhaité bonne nuit à son amie, Joséphine referma sa porte. En passant devant Brian pour se rendre dans sa chambre, elle se rapprocha pour remonter la couverture qui avait légèrement glissé. Sa main, comme d'elle-même, s'attarda sur le bras du jeune homme, Jo la retira en rougissant. Quelle magie y avait-il en lui qui l'émouvait au point de lui faire perdre le contrôle de ses propres gestes?

62

5.

De la fenêtre de son petit appartement, Florence Pickford contempla d'un air rêveur les branches des arbres de la cour qui oscillaient dans la brise matinale. Le vent allait-il se lever ? Elle ne s'était jamais habituée au vent dément qui soufflait parfois dans cette ville de montagne située au pied des Montagnes Rocheuses dans une vallée si sensible aux changements de climats, et dans laquelle on avait installé un Centre de recherche atmosphérique célèbre dans le monde entier. C'était là qu'avait travaillé son cher mari, qui lui manquait tant...

C'était pour lui qu'elle était venue s'installer dans cette ville, pour sa carrière. Elle était une toute jeune femme alors, et s'était rapidement créé tout un cercle d'amis. Mais voilà, ses amis avaient le long des années déménagé, et maintenant, son mari était mort... lui laissant une pension qui lui permettait de se loger dans cette résidence du

troisième âge. En cas de remariage, elle ne touche-
rait plus un centime, comme le spécifiait le contrat.

Cette clause, elle n'y avait évidemment accordé
aucune importance au début. L'hypothèse d'une
autre union lui paraissait inenvisageable tant était
grand son chagrin. Puis les années avaient passé, et
elle avait atrocement souffert de la solitude, jusqu'à ce que Howard lui redonne la vie...

Alors l'amour avait de nouveau fait battre son
cœur. Mais les premiers moments d'ivresse passés,
il avait bien fallu se rendre à la dure réalité : ils ne
pouvaient, ils ne pourraient jamais se marier et
exposer au grand jour leurs sentiments l'un pour
l'autre. Bien sûr, si Howard avait eu de la fortune...
Le malheur en avait voulu autrement. Et il était
hors de question qu'ils vivent ensemble sans les
liens sacrés du mariage. Ils n'appartenaient pas à
cette génération.

La tension devenait parfois telle, qu'ils ne cessaient de se disputer et finissaient par décider qu'il
valait mieux rompre. Mais la solitude et les regrets
aidant, ils ne restaient pas longtemps séparés l'un
de l'autre. Leur situation semblait sans issue...

Florence en était arrivée à cette triste conclusion
quand de loin elle aperçut Joséphine Williams sur
sa bicyclette. Quelle grâce avait la jeunesse, songea
la vieille dame en regardant Jo qui pédalait énergiquement. Avec sa jupe au vent qui lui remontait
jusqu'à mi-cuisse, elle incarnait pour elle la liberté,
la beauté, la joie de vivre. Tout ce que les ans lui
avaient petit à petit ravi...

Jo se gara devant le salon de thé. A cet instant, Florence ramassa sa veste et son sac et sortit de chez elle d'un pas alerte.

Jo se trouvait dans l'arrière-boutique occupée à confectionner des sablés au chocolat et à la cannelle lorsqu'elle entendit frapper à la porte d'entrée. Qui cela pouvait-il bien être ? se demanda-t-elle en s'essuyant rapidement les mains à un torchon... Il était encore bien tôt pour les clients. A moins que... ? Son pouls s'accéléra à la perspective de découvrir Brian sur le pas de la porte.

Il n'était plus là à son réveil ce matin. Seule la couverture soigneusement pliée sur le sofa et un mot griffonné sur un bout de papier témoignaient de son passage. D'une écriture rapide et ferme, il la remerciait de son hospitalité. En cas de besoin, elle pouvait lui laisser un message au *Hilton*. Manifestement, il ne formait pas le projet de la revoir avant lundi, à la banque, avait-elle constaté avec un serrement de cœur. Aussi ne fut-elle pas vraiment déçue de voir sa vieille amie Florence Pickford au lieu du jeune homme.

— Florence ! s'exclama-t-elle avec un sourire de bienvenue en lui ouvrant la porte. Vous êtes bien matinale aujourd'hui.

— Je me suis levée de bonne heure, et comme je m'ennuyais là-haut toute seule, j'ai pensé que vous auriez peut-être besoin de mon aide...

— De votre aide, et surtout de votre compagnie, fit Joséphine en refermant la porte à clé. Vous pourrez m'aider à préparer la fournée de petits fours aux amandes. Vous tombez vraiment bien, Florence, savez-vous, j'ai mille questions en tête et vous êtes la seule personne à pouvoir me répondre.

Après avoir considéré la jeune femme un instant en silence, Florence déclara en hochant la tête :

— Vous avez retrouvé Brian.

— Comment avez-vous deviné ? s'étonna Joséphine.

— Simple affaire de bon sens, mon petit. Mais, dites-moi, comment est-il ? A-t-il beaucoup changé ? Combien d'enfants a-t-il ? Quelle ville habite-t-il ? Comment va Karen ?...

— Je croyais que c'était moi qui posais les questions ! s'exclama Joséphine en riant. Pour commencer, je ne peux pas vous dire s'il a changé puisque je ne le connaissais pas autrefois. Mais il m'a paru en assez bonne forme...

— Il est ici ? à Boulder ?

— Jusqu'à lundi, l'informa Joséphine.

— Et Karen est avec lui ?

— Il n'a jamais épousé Karen, Florence.

— Jamais épousé Karen ? répéta la vieille dame, bouche bée. Mais alors, reprit-elle après une pause, pourquoi n'est-il pas revenu ?

— Si seulement je le savais, fit Joséphine en soupirant. Chaque fois que j'ai tenté d'aiguiller la conversation sur ce sujet, je me suis heurtée à un mur. Quand je songe aux confidences que je lui ai faites pour le forcer à parler ! Je lui ai même raconté qu'on m'avait renvoyée deux jours de l'école pour indiscipline. J'avais donné un coup de poing à un garçon qui tirait toujours mes tresses. Et lui, que m'a-t-il raconté en échange ? Qu'il possédait une entreprise de bâtiment à Casper. Cela vous paraît juste, à vous ?

— Je peux peut-être réparer un peu cette injustice, proposa Florence en souriant. Que je sache, Brian ne s'est jamais battu avec ses petits camarades. Du moins n'a-t-il jamais été renvoyé de son école à cause de cela.

— Cela devrait me consoler ?

— Mais il a fait des fugues, deux.

— Avec une mère comme Mabel, cela ne m'étonne pas trop. Où est-il allé ?

— Dans la montagne. Il revenait après quelques jours et acceptait sa punition sans un mot d'explication.

— Il devait être très malheureux... Comment a-t-elle pu le traiter ainsi ?

— Brian serait furieux s'il apprenait que vous le plaignez, Jo. Et puis il s'en est bien sorti.

— Un enfant devrait réussir grâce à ses parents, pas malgré eux ! s'éleva la jeune femme avec fougue.

— Dans un monde idéal, peut-être, énonça prudemment Florence en se rappelant ses erreurs avec ses propres enfants.

Pendant les quelques minutes qui suivirent, les deux femmes se turent, concentrées sur la préparation de la pâte. Mais en son for intérieur, Joséphine songeait que Brian prenait tout à coup une place beaucoup trop grande dans sa vie. Depuis quelques semaines, elle ne songeait qu'à le retrouver. A présent qu'elle l'avait vu en chair et en os, elle ne parvenait plus à détacher ses pensées de lui. Vraiment, il était temps de parler d'autre chose.

— Que devient Howard avec sa petite-fille ? interrogea-t-elle, rompant le silence. Est-elle plus aimable ?

— Je n'en sais rien, répondit Florence. Mais l'aîné des petits-fils de Howard, celui qui vit à Denver, devait passer prendre Sandy aujourd'hui pour l'emmener faire du cheval.

— Alors, je suis sûre qu'elle est ravie. Les jeunes filles de cet âge adorent l'équitation...

Joséphine et Florence bavardèrent ainsi de tout et de rien jusqu'à l'heure de l'ouverture de la boutique. Ensuite la vieille dame aida sa jeune amie à servir les clients.

— Il y a bien longtemps que je ne me suis tant amusée, déclara Florence quand le dernier client eut refermé la porte derrière lui.

— Grâce à vous, je n'ai pas vu la matinée passer, lui assura Joséphine en s'emparant d'un plateau vide.

— Ce n'est pas seulement votre charmante conversation, Joséphine. J'ai si peu souvent l'occasion de rendre service. Quand on a passé sa vie comme moi à s'occuper des autres, il est difficile de ne pas se sentir inutile.

Ce ne furent pas tant les mots de la vieille dame, mais la profonde tristesse qu'ils exprimaient qui frappèrent la jeune femme. Elle ne s'était pas rendu compte jusqu'ici combien Florence était malheureuse. Evidemment, elle avait si peu d'argent... et sans argent, elle ne pouvait ni voyager, ni s'adonner à un hobby. Impossible également d'ouvrir un petit commerce, la retraite pouvait être une prison. Surtout dans une ville universitaire comme Boulder où la moyenne d'âge ne dépassait guère vingt-cinq ans !

— Venez quand vous voulez, Florence.

— Merci, Jo, mais méfiez-vous, vous risquez de me voir plus souvent que vous ne le souhaitez...

Joséphine allait protester, quand retentit le carillon de la porte. De nouveau, elle dut cacher sa déception en voyant Howard Wakelin au lieu de Brian. Florence et le vieux monsieur se mirent aussitôt à échanger des plaisanteries sur un ton badin.

— Alors tu t'es débarrassé de ta Sandy ? constata la vieille dame.

— Je suis libre jusqu'à ce soir. Que dirais-tu d'aller assister à une représentation de *Macbeth*, ce soir ? Les Mackeys m'ont donné des billets...

— Tu n'as pas quelque chose de plus gai à me proposer ?

— Tu es difficile...

A cet instant, le carillon retentit de nouveau. Joséphine tourna un regard indifférent vers la porte et retint son souffle.

Subitement, tout autour de Joséphine sembla irréel et lointain : Brian se tenait debout sur le seuil,

69

sa haute et mince silhouette prêtant à la boutique un air de maison de poupées. Il portait un costume croisé très élégant qui accentuait la largeur de ses épaules.

— J'ai bien cru ne jamais vous trouver ! s'exclama-t-il d'une voix grave et vibrante qui fit frissonner la jeune femme. Cette ville a tellement changé… Il y a un nombre impressionnant de boutiques et beaucoup de rues sont devenues piétonnes. Je me suis perdu je ne sais combien de fois !

— Je suis dans l'annuaire, énonça Joséphine avec un calme qu'elle était loin de ressentir.

Alors seulement, le jeune homme aperçut Florence qui se tenait discrètement derrière Jo. Un large sourire éclaira son visage.

— Brian, comment vas-tu ? Cela fait si longtemps…

— Si longtemps, répéta-t-il en la prenant affectueusement dans ses bras et en l'embrassant sur les deux joues.

Brian était manifestement aussi ému que la vieille dame.

— Florence, vous m'avez manqué…

— Tu es encore plus beau que lorsque tu es parti, souffla Florence en levant vers lui un regard embué de larmes.

En riant, le jeune homme la prit par les épaules et se tourna vers Joséphine :

— Que répondriez-vous à ma place ?

— Moi ? fit Jo en haussant les épaules. Merci, je suppose…

70

Après que Florence eut présenté Howard à Brian, ce dernier se tourna de nouveau vers Joséphine :

— Je voulais savoir si vous accepteriez de me montrer la ville, mais puisque je vous dérange...

— Mais pas du tout ! intervint brusquement Florence avant que Joséphine ait eu le temps de répondre. Howard et moi allons nous charger de la boutique pour le reste de l'après-midi. N'est-ce pas, Jo ? Passez chez moi demain matin pour les clés.

Jo était muette de stupéfaction. Jamais on ne l'avait aussi ouvertement jetée dans les bras d'un homme.

— Vous n'avez pas confiance en Florence ? s'enquit Brian.

— Ce n'est pas ça...

— Alors quoi ?

— Florence, vous êtes sûre que cela ne vous dérange pas ? Et vous, Howard ? Je sais que vous aviez l'intention d'aller au théâtre...

— Je préfère rester auprès de Florence, répliqua fermement le vieux monsieur en enveloppant son amie d'un regard affectueux.

Si Florence ne lui avait pas confié plutôt combien elle aimait à se rendre utile, Joséphine n'aurait jamais osé accepter cette proposition. Mais à présent, elle avait la curieuse sensation de rendre service à son amie.

Après avoir ôté son tablier, la jeune femme le tendit en souriant à Howard qui le mit aussitôt.

— Si vous avez le moindre problème, fermez, et je m'en occuperai demain matin.

— Je ne vois pas quel genre de problème pourrait bien survenir que nous ne pourrions régler nous-mêmes, lui assura Florence avec optimisme. Allez-y vite, mes enfants, ne perdez pas de temps... il est tellement précieux...

Brian se pencha pour embrasser la vieille dame sur la joue.

— Que diriez-vous de dîner avec moi demain soir, Florence ? Nous avons sûrement une foule de choses à nous raconter.

Florence accepta bien sûr avec joie. Et quand ils se furent convenus d'un rendez-vous, Brian prit la jeune femme par le bras et l'entraîna dehors, lui laissant à peine le temps de ramasser sa sacoche au passage.

6.

Une demi-heure plus tard, la Range Rover de Brian roulait à vive allure sur l'autoroute de Boulder Canyon.

— Je croyais que vous vouliez visiter la ville, observa Joséphine en baissant sa vitre pour humer l'air pur de la montagne.

C'était un magnifique après-midi de juillet. Un soleil éclatant brillait dans un ciel uniformément bleu marine ; seul l'altitude les préservait d'une chaleur torride.

— J'ai découvert en me réveillant ce matin qu'il était plus dur de rentrer chez soi que je l'avais supposé. J'avais besoin de compagnie. J'espère que vous ne m'en voulez pas ?

— Bien sûr que non, répondit-elle.

Hier soir, Jo avait à plusieurs reprises été décontenancée par sa franchise, mais aujourd'hui elle avait décidé que, venant de sa part, rien ne la surprendrait plus. C'est pourquoi elle ne s'était pas émue de le voir sortir de Boulder sans lui offrir la moindre explication.

Après une pause, c'est avec la même assurance tranquille qu'elle lança:

— Brian, que s'est-il passé entre Karen et vous?

Comme s'il n'avait pas entendu la question, le jeune homme se pencha pour prendre ses lunettes noires dans la boîte à gants. Puis, alors que Joséphine s'était résignée à rester, du moins pour l'instant, dans l'ignorance de ce qui était advenu de Karen, il déclara:

— C'est une longue histoire. J'ai peur de vous ennuyer.

— Au contraire, cela m'intéresse beaucoup…

Mais Brian se tut, le visage impassible derrière ses lunettes noires. Après deux kilomètres environ, il ralentit pour se ranger sur le bas-côté de la route. Puis, après avoir sauté à terre, il se dépêcha de venir ouvrir la portière de la jeune femme.

— Venez! ordonna-t-il en lui tendant la main pour l'aider à descendre. Nous allons marcher un peu.

Tout en suivant Brian de l'autre côté de la route, là où un torrent grondait parmi les arbres, dominant le bruit des voitures, Joséphine songea qu'avec ses talons hauts, elle n'était vraiment pas équipée pour ce genre d'expédition. Mais quelle importance, finalement? Si ses pieds devenaient trop douloureux, elle pouvait toujours enlever ses chaussures.

— Ravissant! s'exclama-t-elle.

Après avoir suivi un sentier assez escarpé, ils arrivaient en vue d'une cascade étincelante dans la verdure.

— Saviez-vous que Boulder est la seule ville aux Etats-Unis où l'eau du robinet provient d'un glacier appartenant à la municipalité?

— Non, je l'ignorais, répliqua Jo, amusée par la fierté qui transperçait dans ses intonations, une fierté d'enfant...

— Je ne me rendais pas compte à quel point Boulder me manquait, murmura presque le jeune homme en promenant son regard sur le paysage alentour.

— Quand ma famille a déménagé en Californie, je ne rêvais que de rentrer au Colorado, lui confia Joséphine, gagnée imperceptiblement par l'émotion.

Fermement, il lui prit la main et l'entraîna plus loin, jusqu'à un rocher surplombant la cascade.

Les yeux fixés sur le ballet incessant des gouttelettes, qui reflétaient toutes les couleurs de l'arc-en-ciel, Joséphine déclara, heureuse de reposer ses pieds endoloris :

— Merci de m'avoir amenée ici, Brian. J'ai si peu l'occasion de me promener...

— C'est moi qui devrais vous remercier, Jo... d'être venue.

— Etait-ce votre endroit favori?

— Oui, chaque fois que j'étais préoccupé, je venais ici pour réfléchir.

Renversant la tête en arrière, la jeune femme offrit son visage à la caresse du soleil.

— Moi aussi j'avais un endroit de prédilection, c'était un arbre, devant la maison. Personne ne m'y trouvait jamais. Le gens regardent si peu souvent en l'air...

— C'est vrai. Je l'ai souvent remarqué quand je vérifie le soir le travail de la journée sur un chantier. Je suis là-haut sur les poutrelles, comme invisible.

Ils se turent. Et soudain, Joséphine sentit quelque chose frôler sa joue. Instinctivemen., comme pour chasser un insecte, elle baissa la tête et leva la main. Mais quand elle rencontra celle de Brian, elle ouvrit les yeux pour s'apercevoir qu'il la chatouillait avec une aiguille de pin.

— Ne vous inquiétez pas, je ne vais pas m'endormir, se défendit-elle en souriant.

— Vous avez un teint merveilleux, dit-il.

Il la dévisageait si intensément que, troublée, elle fronça les sourcils.

— Seulement pour ceux qui apprécient les taches de rousseur.

— C'est mon cas.

Une douce chaleur se répandait dans ses veines, elle tombait dans une dangereuse langueur. Effrayée, Joséphine se leva brusquement.

— Si vous les aimez tant, je serais ravie de vous en donner quelques-unes, surtout celles qui se trouvent sur mon nez!

Le jeune homme sourit. Si Jo avait pu lire dans

ses pensées, elle aurait été étonnée de constater qu'il était soulagé. Il ne comprenait pas quelle force obscure le poussait à faire la cour à cette femme. Certes elle était d'une grande beauté, et il la trouvait désirable, mais il n'était pas venu à Boulder pour se lancer dans de nouvelles complications...

— Je vous fais sans doute perdre votre temps, s'empressa-t-il d'ajouter. Vous aviez peut-être rendez-vous, avec un... ami?

— Un petit ami, vous voulez dire? se moqua gentiment Joséphine.

— Je...

— Vous n'avez pas à vous excuser. Vous avez de la chance, je suis entre deux liaisons en ce moment, répondit-elle avec désinvolture.

En réalité, plus d'un an s'était écoulé depuis sa dernière « liaison ». Jo s'était laissé séduire par un homme qui l'avait éblouie par son intelligence et son charme. Hélas elle s'était bien vite aperçue que son égoïsme monstrueux le rendait impossible à vivre. Depuis cette triste expérience, Jo préférait rester sagement chez elle.

Brian la considéra derrière ses lunettes noires.

— Jo, pourquoi n'êtes-vous pas mariée?

— Quelle question!

— Pardonnez-moi, je suis indiscret.

— Je suis prête à vous raconter ma vie jusqu'au moindre détail si vous me dites ce qu'est devenue Karen.

Le jeune homme secoua la tête en riant, comme s'il trouvait tout à coup cette conversation absurde.

— Je ne comprends décidément pas votre curiosité à mon égard, Jo.

— Je vous avoue que moi non plus, répliqua-t-elle. Mais à la réflexion, ma réaction est bien naturelle : Mabel m'a tellement parlé de vous deux. C'est un peu comme si on m'avait annoncé que le prince charmant n'avait finalement pas épousé la princesse...

— Je n'ai jamais parlé à personne de Karen, sauf bien sûr à des détectives privés.

Il ramassa une branche par terre et se mit à dessiner des cercles sur le sol sablonneux. Visiblement il aurait préféré abandonner le sujet mais la curiosité de Jo l'emporta sur ses scrupules.

— Et pourtant, j'ai l'impression qu'elle est toujours là, auprès de vous...

— Qu'est-ce qui vous permet d'avancer une chose pareille ?

— Le fait que chaque fois que je prononce son nom, vous réagissez violemment.

— C'est parce qu'il n'y a pas de fin à notre histoire, comme un livre dont on aurait omis d'écrire le dernier chapitre.

— C'est pour cela que vous avez engagé des détectives ? Pour terminer le livre ?

Brian laissa fuser un soupir. Jamais il n'avait rencontré de personne aussi obstinée que Jo !

— Trois jours avant la fin de mon année de licence, je suis rentré à Boulder pour tenter de persuader ma mère d'assister à la cérémonie de remise des diplômes. Nous avons passé deux jours à nous disputer à propos de mes projets de mariage avec Karen — j'avais l'intention de l'épouser dès que j'aurais décroché un emploi...

Soudain, le jeune homme se redressa et lança de toutes ses forces, d'un geste presque rageur, son bâton dans le torrent.

— Animosité est un mot faible pour qualifier les sentiments qui nous animaient alors, ma mère et moi.

— C'est terrible... entre un fils et une mère... une telle haine...

— Pourtant, en la quittant, je n'avais quand même pas perdu tout espoir de la voir changer d'avis. Mais cela ne fut malheureusement pas nécessaire... De retour à Casper, Karen s'était bel et bien volatilisée. Nous vivions ensemble depuis un an et demi, mais c'était comme si elle n'avait jamais existé. Toutes ses affaires avaient disparu, ainsi que celles de Tracy.

— Tracy était la fille de Karen?

Un sourire empreint d'amertume échappa au jeune homme.

— Jusqu'à cet instant, je ne m'étais pas rendu compte à quel point je m'étais attaché à cette enfant. C'était comme si on m'avait enlevé ma fille...

— Mais pourquoi était-elle partie? Et où est-elle allée? interrogea Joséphine.

— Je crois savoir pourquoi. Un des détectives que j'ai employé a découvert qu'un homme était venu rendre visite à Karen, un homme engagé par ma mère... C'était typique de sa part... passer par un intermédiaire. Je suppose qu'il a su persuader Karen qu'elle n'était pas assez bien pour moi, ou quelque stupidité de ce genre. Bref, elle s'est sentie obligée de me quitter pour que je sois heureux...

Joséphine acquiesça gravement. Elle comprenait enfin la raison pour laquelle Brian n'avait jamais cherché à se réconcilier avec sa mère.

— Et vous avez retrouvé Karen ?

— Non, jamais. Mais ne parlons plus de cela, voulez-vous ? C'est le passé, et je suis persuadé que Karen est comme moi, qu'elle a refait sa vie.

— Sauf qu'il manque un dernier chapitre à votre histoire ?

— La vie n'est pas un roman, Jo, énonça le jeune homme en souriant.

— Mais vous n'avez pas oublié Karen...

— Il doit y avoir des choses que vous non plus, vous ne pouvez oublier.

— Rien qui me hante à ce point.

— Vous vous méprenez sur mon compte, Jo. Je n'ai rien vécu de dramatique comme vous vous plaisez à l'imaginer. Cette histoire n'a pas eu de répercussion sur mon existence, rassurez-vous.

— Mais vous ne vous êtes jamais marié ? Je parie même que vous n'avez eu aucune liaison sérieuse depuis Karen.

L'éclair de colère qui traversa les yeux bleus de Brian étant suffisamment clair, la jeune femme se détourna, gênée tout à coup de s'être montrée si indiscrète.

— Puisque ma vie sentimentale vous intéresse tant, reprit quelques secondes plus tard le jeune homme d'une voix qui la fit tressaillir, sachez que je ne suis pas de ceux qui sont capables de rester chastes pendant huit ans...

Joséphine sentit alors le poids de son regard sur elle, sur les douces rondeurs de ses seins que laissait deviner l'étoffe mince de sa blouse, sur ses hanches...

— Il ne s'agit pas de cela, répartit-elle en s'efforçant de calmer les battements désordonnés de son cœur, mais de votre peur de vous engager vis-à-vis d'une femme.

Elle regretta aussitôt ses paroles tandis qu'il se levait et l'attrapait par le bras, l'obligeant à lui faire face. Puis, avec une ardeur qui lui coupa le souffle, Brian s'empara de ses lèvres. A sa grande surprise, Jo n'offrit aucune résistance, au contraire, elle fondit dans son étreinte, abandonnée, consentante. Jamais elle n'avait éprouvé quoi que ce soit de semblable, comme si toute la volupté du monde se trouvait rassemblée en un cyclone dont elle était le centre...

Au contact du corps tendre et brûlant de la jeune femme qui contre toute attente lui rendait son baiser, Brian eut l'impression qu'il retournait en arrière... C'était Karen qu'il tenait dans ses bras, Karen qu'il embrassait passionnément, Karen qu'il caressait, aimait... Karen... Il la serra contre lui à l'étouffer, et allait murmurer son nom à son oreille quand tout lui revint brusquement : le lieu et l'heure, la personne avec qui il se trouvait. Alors comme par magie, le passé s'évanouit et il repoussa doucement la jeune femme. L'enchantement était rompu.

— Je suis désolé, Jo, je ne sais pas ce qui m'a pris.

Les joues enflammées, la respiration encore haletante, Joséphine, se baissa pour inspecter ses pieds que les lanières des chaussures avaient blessés.

— Je n'aurais jamais dû venir ici avec ces chaussures, normalement, j'ai plus de...

— Jo, fit Brian en la forçant à le regarder. Jo, il est inutile d'essayer de prétendre que rien ne s'est passé entre nous.

La jeune femme leva alors sur lui ses grands yeux verts embués de désir. Encore toute tremblante, elle esquissa un pâle sourire.

— Vous n'allez même pas me faire promettre de ne plus vous bombarder de questions?

— Ce n'est pas la peine, je n'ai plus rien à cacher, répondit gaiement Brian, en tournant ses regards vers la cascade. Que diriez-vous d'aller pêcher à Boulder Creek? interrogea-t-il après une pause.

— Comment? souffla Jo sans comprendre.

— Pêcher, vous savez, des poissons, expliqua-t-il en écartant les mains à la façon des pêcheurs quand ils veulent montrer la taille de leur prise.

— C'est-à-dire, je...

— Connaîtriez-vous quelqu'un qui nous prêterait une canne à pêche?

— Je... Oui, Howard Wakelin.

— Et vous voulez bien m'accompagner?

Cette fois, Joséphine éclata de rire.

— Vous êtes drôle, bien sûr, mais quelle idée bizarre!

— Vous verrez, c'est un sport merveilleux, on oublie ses soucis... Mais pour l'instant, vous n'avez rien contre un petit voyage jusqu'à Central City? lança-t-il, changeant pour la seconde fois le sujet de la conversation.

Central City était une ancienne ville minière très prospère à la fin du dix-neuvième siècle qui, magnifiquement restaurée, était devenue un centre culturel et touristique, très prisé surtout pour son festival d'opéra.

— Pourquoi Central City? interrogea Jo dont la tête tournait un peu.

— Parce qu'un de mes plus vieux amis y habite. Carl Vizenor, vous le connaissez peut-être?

— Non.

— Un type formidable. Je viens de découvrir qu'il a ouvert un magasin de bonbons là-bas. Vous aimez les musées?

— J'aime surtout les bonbons, déclara Joséphine en riant.

— Parfait, alors allons-y, décida le jeune homme en lui prenant fermement la main.

— Attendez, que j'enlève mes sandales...

— Vous ne pouvez pas remonter pieds nus! protesta Brian.

— Vous voulez parier? Je suis beaucoup plus forte que j'en ai l'air.

Le jeune homme acquiesça avec un sourire amusé. Alors que la plupart des femmes accentuaient leur côté faible dans le but de plaire aux hommes, Jo Williams, elle, tirait fierté de sa force, songea-t-il en regardant son corps souple, aux courbes élégantes et fermes tandis qu'elle le précédait dans le chemin escarpé.

Quoique Central City ne fût qu'à une quarantaine de kilomètres de là, Brian s'arrêta si souvent pour contempler le paysage et se plonger dans ses souvenirs, qu'ils n'arrivèrent pas avant la fin de l'après-midi.

— Vous voulez peut-être manger quelque chose avant que nous allions voir Carl? proposa Brian en ouvrant la portière de Joséphine.

— Vous avez dit que votre ami avait un magasin de bonbons? Dans ce cas, je préférerais passer directement au dessert, répondit la jeune femme, malicieuse, une main posée sur le bras de Brian.

Après avoir verrouillé sa Range Rover qu'il avait garée dans un parking aux abords de la petite ville, Brian prit la jeune femme par les épaules et l'entraîna vers le groupe d'immeubles en bois sombre. On se serait cru dans un western, avec les rues en terre battue, les trottoirs en planches, les façades de décor de cinéma.

— Où sont les chercheurs d'or? plaisanta Joséphine.

— Ils ont été remplacés par les amateurs d'opéra. Savez-vous que l'*Opera House* de Central City est un lieu de culte pour les amateurs de bel canto ?...

— Tout en bavardant de tout et de rien, ils s'arrêtèrent au bout de quelques minutes devant une devanture à l'aspect tout aussi vieillot que le reste de la ville. *Carl's Handmade Candy,* était-il inscrit en lettres artificiellement jaunies au-dessus de la vitrine où s'étalaient des friandises aux couleurs pastel.

A la vue du magasin, Brian hésita. Il n'avait pas revu son ami depuis si longtemps. Sa dernière visite remontait à huit ans. Il se préparait alors à rejoindre Karen... Subitement, il ne savait s'il voulait mettre à l'épreuve de la réalité l'amitié qui l'avait si souvent soutenu en souvenir.

— Prêt ? fit Joséphine en se serrant davantage contre lui, comme si elle avait deviné qu'il avait besoin de soutien et d'encouragement.

— Prêt à quoi ?

— Vous savez bien.

Et d'un signe de tête, elle indiqua les bocaux multicolores de bonbons, chocolats, fruits confits...

— C'est le paradis !

— Pas encore, petite gourmande, vous avez encore au moins dix mille calories à consommer sur cette terre avant de monter au ciel ! s'exclama Brian.

— Vous savez parler aux femmes, taquina Jo.

La porte s'ouvrit avec un tintement de clochette, mais il n'y avait personne dans la boutique. Au bout de quelques secondes cependant, une jeune fille en tablier rose à dentelle surgit comme par enchantement derrière le long comptoir en bois sombre?

— Que puis-je pour vous? s'enquit-elle d'une voix mélodieuse.

— Je voudrais ce morceau de nougat, celui-ci, répondit sans hésiter Joséphine en pointant l'index vers un des bocaux qui tapissaient le mur. Où est votre ami? chuchota-t-elle ensuite à l'oreille du jeune homme.

— Ce doit être son jour de congé.

— Pas du tout!

Au son de la voix tonitruante qui venait de s'élever dans leur dos, Joséphine fit volte-face et retint une exclamation de surprise. Elle ne s'attendait vraiment pas à ce qu'un vendeur de bonbons ressemble à un footballeur! Carl était imposant aussi grand que fort. Au point qu'à côté de lui, Brian paraissait presque frêle! Avec un sourire stupéfait, elle regarda le colosse soulever Brian dans ses bras pour lui donner l'accolade puis le déposer délicatement par terre.

— Je commençais à m'impatienter, déclara Carl avec une claque amicale sur l'épaule de Brian, Phyllis m'avait informé de ta présence dans la région. Tu aurais pu venir me voir plus tôt...

Sans répondre, Brian se recula d'un pas pour inspecter son ami des pieds à la tête:

— Toujours aussi en forme, à ce que je vois, ça fait sacrément plaisir...

Mais le regard du colosse avait déjà glissé vers

Joséphine qui se tenait discrètement auprès de Brian, son nougat à la main, les yeux écarquillés comme une enfant absorbée par un spectacle fascinant.

— Et vous devez être Karen, fit Carl en la soulevant de terre à son tour. Brian, espèce de veinard ! Ta femme est une beauté !

7.

Joséphine jeta un coup d'œil affolé à Brian, qui s'était figé. Puis elle se tourna vivement vers Carl et lança du ton le plus désinvolte possible :

— Je regrette d'avoir à corriger un homme au jugement si sûr, mais mon nom est Joséphine Williams, Jo pour les intimes. Et je ne suis pas la femme de Brian. A part ça, le reste est exact !

— Karen n'a pas pu t'accompagner ? interrogea le colosse en considérant son ami d'un air contrit.

Avec un temps de retard, Brian répondit d'une voix sourde :

— Karen et moi, nous ne nous sommes jamais mariés.

— Bon sang ! Toute cette histoire pour rien ! Tu dois en avoir des choses à nous raconter !

Après avoir consulté l'horloge à balancier qui montait la garde dans le coin le plus sombre de la boutique, Carl déclara d'un ton autoritaire :

— Accorde-moi une heure pour fermer ici, et nous irons tous dîner à la maison.

— Je ne suis pas venu pour m'inviter à ta table, laisse-moi vous emmener tous les deux au restaurant, Susan et toi ?

— Elle me tuerait ! Susan s'est mise à cuisiner dès qu'elle a entendu dire que tu étais de retour !

— Comment avez-vous su que je viendrais vous voir aujourd'hui ? s'étonna Brian.

— Si tu n'étais pas passé, c'est moi qui descendais te chercher à Boulder !

Quelques minutes plus tard, Brian et Jo se retrouvaient de nouveau sur le trottoir et reprenaient leur visite touristique. Ils explorèrent la ville de fond en comble pour terminer devant une bière au *Teller House*, un pittoresque hôtel du temps de la ruée vers l'or transformé en bar où Carl leur avait donné rendez-vous.

A quelques kilomètres de la ville, en pleine nature, les Vizenor habitaient une belle maison bâtie à flanc de colline. De style victorien avec des poutres extérieures apparentes, la bâtisse centenaire avait été restaurée avec amour.

Une jeune femme en robe à fleur, au visage rond et au sourire radieux, les attendait derrière la barrière blanche qui délimitait le jardin. Après avoir affectueusement embrassé Carl, elle se tourna vers Joséphine.

— Carl m'a téléphoné. Ravie de faire votre connaissance, Joséphine. Vous portez un très joli prénom, si nous avons une fille, nous l'appellerons comme vous.

Soulagée de ne pas être de nouveau prise pour Karen, Jo sourit:

— On peut dire qu'il n'est pas courant. C'était le nom de ma grand-mère.

L'intérieur de la maison était à l'image de l'extérieur: original, simple et raffiné à la fois. Le mobilier moderne côtoyait des antiquités de prix, créant ainsi un contraste réussi. Les parquets de bois cirés luisaient dans la lumière dorée. Jo regardait l'escalier quand elle vit apparaître un petit garçon en haut des marches. Il semblait hésiter à descendre.

— Viens, Jason, tu peux nous rejoindre puisque tu ne dors pas.

Jason ne se le fit pas dire deux fois.

— Brian, je te présente Jason. Jason, voici mon grand ami Brian Tyler, le champion de saut à la perche de mon école, tu te souviens?

— C'est tout le portrait de son père, observa Brian en s'accroupissant pour dire bonjour au garçon qui le considérait d'un air un peu intimidé.

— Difficile de croire que Susan a eu son mot à dire, hein? lança fièrement Carl.

— Attention, Carl, si tu continues, c'est toi qui vas porter le prochain! riposta Susan en riant.

Puis elle s'excusa et prenant son fils par la main, déclara qu'il était temps pour lui de se coucher. Jason embrassa tout le monde gentiment sur la joue.

La soirée se poursuivit comme elle avait débuté dans la gaieté et la bonne humeur. Après les premières minutes de retrouvailles, Brian, Carl et Susan s'efforcèrent d'inclure Jo dans la conversation si bien qu'elle ne se sentit jamais exclue. A la fin du repas, Jason appela sa mère et se plaignit d'avoir soif. Susan envoya Brian à l'étage avec un verre d'eau. Un quart d'heure s'écoula sans que le jeune homme ne réapparaisse. Curieuse Joséphine décida d'aller voir ce qui le retenait.

Elle trouva Brian installé dans un rocking-chair, l'enfant pelotonné sur ses genoux. Avec un visible plaisir, il lisait une histoire au petit garçon qui l'écoutait avec attention.

— Ah, Jo, vous voilà... Je ne peux pas le quitter avant de savoir ce qui est arrivé à la souris magique... Vous voulez vous joindre à nous ?

— Merci, mais je vais rassurer Susan qui s'inquiétait, répliqua Jo, troublée par la tendresse du regard de Brian.

En descendant l'escalier, Joséphine réfléchit. Brian ne semblait pas avoir de difficulté à établir un contact avec les enfants. Ce qui était surprenant pour un fils unique. Sans doute avait-il eu l'occasion d'apprendre à mieux les connaître par Tracy, l'enfant de Karen. Certes elle n'était pas de lui, mais ne l'avait-il pas considérée comme sa propre fille ? Comme elle devait lui manquer, peut-être presque autant que sa mère...

Cette pensée assombrit quelque peu la fin de la soirée pour Joséphine. Et quand le moment du départ fut venu, la perspective de rentrer à Boulder, dans son monde à elle la soulagea… Il n'y avait pas de place pour Jo Williams dans celui de Brian. De toute façon, lundi, il allait retourner dans le Wyoming, et elle n'entendrait jamais plus parler de lui !

Quand Brian gara sa Range Rover devant chez elle, Jo n'était pas d'humeur à prolonger les adieux. Coupant le contact, son compagnon déclara :

— Je vous suis infiniment reconnaissant, pour tout ce que vous avez fait pour moi, Jo.

Le cœur lourd, craignant par-dessus tout un discours d'adieu, Joséphine l'interrompit :

— Je vous en prie… Je suis fatiguée et une longue journée m'attend demain…

Doutait-elle de sa sincérité ? se demanda-t-il. Comment lui faire comprendre qu'il appréciait tout le mal qu'elle s'était donné pour le retrouver ?

— Jo, voulez-vous dîner avec moi demain soir ?

— Je vous rappelle que vous avez invité Florence.

— Alors prenons le petit déjeuner ensemble.

— Désolée, je n'ai pas le temps, répondit Joséphine en ouvrant sa portière. Nous nous reverrons lundi, à la banque.

Mais déjà, Brian était à ses côtés et lui prenait fermement le bras.

— Permettez-moi de vous raccompagner jusqu'à votre porte. Un de vos B. Tyler pourrait avoir décidé de vous rendre une petite visite…

Quelques minutes plus tard, au moment de la

quitter comme promis devant sa porte, Brian lui caressa la main en se rapprochant d'elle.

— Vous voyez, personne ne me guettait dans l'ombre, observa-t-elle, sur la défensive.

Brian recula brusquement d'un pas, décontenancé par la froideur de la jeune femme. Etait-ce la même qui s'était révélée sensuelle dans ses bras cet après-midi? A quoi était dû se brusque revirement?

— Bien, fit-il un peu sèchement. Mais vous devriez être prudente pendant quelques semaines. On ne sait jamais.

— Je prends note du conseil. Au revoir, Brian.

Joséphine regarda s'éloigner Brian dans le couloir, la mort dans l'âme. Mais il valait mieux qu'il parte, qu'il la quitte maintenant au lieu de prolonger plus longtemps cette illusion de bonheur...

8.

Le dos appuyé sur l'aile de sa Range Rover, Brian surveillait d'un œil distrait l'entrée de la banque et regardait les passants assez nombreux à cette heure dans le centre.

Boulder avait beaucoup changé depuis son départ, il y avait de nouveaux complexes d'immeubles, de nouveaux magasins, des rues jadis encombrées par la circulation automobile étaient devenues piétonnières. Et pourtant, fondamentalement la ville était restée la même, une ville universitaire, avec ses hippies traînant sur les bancs publics dans les jardins, tout comme à l'époque des grandes révoltes étudiantes pendant la guerre du Viêt-nam et surtout les bicyclettes, aussi nombreuses et envahissantes que les voitures.

L'arrivée d'une vieille Toyota verte qui se gara près de sa voiture attira soudain son attention. Quelques secondes plus tard, Joséphine en sortait.

En jupe droite et chemisier à fleur, elle était encore plus désirable que dans son souvenir. Brian s'avança vers elle en souriant, tout heureux de constater qu'elle lui rendait son sourire. Apparemment, de sa mauvaise humeur de l'avant-veille ne restait aucune trace.

— Comment s'est passé votre dîner avec Florence ? interrogea-t-elle aussitôt après l'avoir salué.

— Très bien. Et votre dimanche ?

La jeune femme haussa ses épaules rondes que sa tenue mettait en valeur.

— Oh, comme d'habitude. Avec un peu plus d'animation vers midi, quand une famille de dix enfants est venue après la messe et que les jumeaux ont décidé de jouer au lance-pierres, ou plutôt au lance-glace avec les cuillers !

En réalité, elle avait passé sa journée à tressaillir chaque fois que tintait le carillon de la porte d'entrée, espérant à tout moment voir Brian. Mais chaque fois, elle se grondait d'être aussi peu raisonnable. Brian n'était pas pour elle, il habitait le Wyoming, il allait rentrer chez lui et disparaître à jamais de sa vie...

— Si nous prenions un café avant d'aller nous enfermer dans cette banque ? proposa le jeune homme.

Brian avait promis à son contremaître de revenir à Casper le soir même — un autre problème s'était présenté sur le chantier de l'hôtel et il était le seul à pouvoir le résoudre. Mais d'ici là, il avait tout le temps du monde...

— En fait, je suis très pressée ce matin, le lundi est la seule journée de libre dont je dispose.

Quelle idiote! Pourquoi lui avoir révélé ce détail?

— Très bien, acquiesça-t-il à regret mais sans oser trop insister.

Quelques minutes plus tard, après la procédure d'usage, un employé de la banque déposa devant eux une boîte en métal que la jeune femme ouvrit pour en tirer un coffret en velours noir.

A la vue du coffret, Brian fut transporté vingt ans en arrière, au temps où ils formaient une famille unie, sa mère, son père et lui. Une famille heureuse. A cette époque, Mabel portait souvent ses bijoux, avec goût d'ailleurs: le collier de perles qui lui venait de sa propre mère, le pendentif en opale que James lui avait offert pour le premier anniversaire de leur mariage, et les nombreuses bagues, les bracelets, héritage de plusieurs générations de Tyler.

— Le collier de perles est de toute beauté, observa Joséphine. Elles me rappellent ces femmes de la fin du siècle dernier qui en portaient de semblables, enroulés plusieurs fois autour de leur cou.

— Mon préféré était cette broche, je n'avais pas beaucoup de discernement quand j'étais gosse, déclara Brian en prenant un bijou très ornementé: une grosse fleur de rubis, de diamants et d'émeraudes sur une monture en or.

— En effet, il doit falloir ressembler à Gina Lollobrigida pour porter un ornement pareil!

Le jeune homme esquissa un sourire.

— D'après les photographies, mes aïeules n'avaient rien à envier à Jayne Mansfield !

Joséphine rougit. La nature avait été plutôt généreuse avec elle aussi.

Mais Brian ne se rendit pas compte de son trouble. Il s'était aperçu qu'il avait oublié de demander à Florence hier soir ce qu'était devenu l'album de photos de Mabel. Pour le moment, le coffret noir constituait le seul souvenir tangible de son passé.

— Quel dommage pour Karen, murmura soudain Joséphine.

— En effet, d'autant qu'elle aimait beaucoup les bijoux, les fourrures, les beaux vêtements... Seulement nous n'avions jamais assez d'argent pour satisfaire ces coûteuses envies. Elle parlait toujours de ce qu'elle achèterait quand je serai devenu un architecte célèbre !

Il s'ensuivit un long silence pendant lequel Brian rangea les bijoux dans le coffret. Peu après, ils se retrouvèrent en plein soleil, sur le trottoir devant la banque. Brian sortit ses lunettes de soleil de la poche de sa chemise.

— Je ne sais pas encore comment vous remercier de tout ce que vous avez fait pour moi, Jo, mais je vous promets que je vous revaudrai ça !

— Merci, Brian, mais tout ce que je veux, c'est que l'injustice soit réparée, que vous n'en vouliez plus à votre mère...

— Vous êtes une incurable romantique... Ne

changez pas, Jo, ne changez pas, dit-il en l'embrassant sur la joue. Au revoir, Jo.

A son contact, Joséphine frissonna des pieds à la tête, puis elle se redressa, furieuse tout à coup. L'heure du départ avait sonné, l'heure qu'elle avait tant redoutée depuis leur première rencontre, et que faisait-il? Il la traitait comme si elle était sa petite sœur!

— Adieu, Brian.

Joséphine resta un long moment immobile, comme figée, à suivre du regard la Range Rover immatriculée dans le Wyoming jusqu'à ce qu'elle tourne le coin de la rue.

La jeune femme s'en alla ensuite faire des courses. Dès son retour chez elle, Joséphine afficha un mot sur la porte d'Amy, demandant à sa voisine de passer la voir d'urgence. Puis elle s'enferma dans sa cuisine pour le reste de l'après-midi.

Régulièrement en effet, la jeune femme consacrait un jour de congé à la cuisson et la réfrigération de plats qu'elle consommait ensuite une fois passés au four à micro-ondes.

Jo terminait les lasagnes quand on frappa à sa porte.

— Que se passe-t-il? interrogea son amie en entrant dans l'appartement.

Comme toujours après une longue journée de travail, Amy avait commencé à se déshabiller dès son entrée dans l'immeuble. La veste de son tailleur en soie était déboutonnée, sa blouse sortie de sa jupe et les lanières de ses sandales accrochées à l'index de sa main droite. Cette manie amusait Jo. Il était heureux qu'elle habite seulement au troisième étage, sinon il y a longtemps qu'elle se serait fait arrêter pour attentat à la pudeur!

— Rien de spécial, répondit Joséphine en ouvrant grand la porte. Je voulais seulement t'inviter à dîner.

— Mmmm... fit Amy en humant l'air d'un air gourmand. Tu sais que je ne résiste pas aux odeurs qui sortent de ta cuisine. Accorde-moi une minute pour me changer... Je reviens tout de suite.

La jeune femme laissa sa porte d'entrée entrouverte en prévision du retour d'Amy puis retourna à la confection de ses lasagnes. Dix minutes plus tard, Amy revint vêtue d'un jean et d'une chemise de flanelle dont elle avait remonté les manches.

— Mon dieu qu'il fait chaud ici! s'exclama-t-elle en se passant la main sur le front. Tu as oublié d'éteindre le climatiseur.

— Non, le four a simplement marché tout l'après-midi, informa Joséphine.

— C'est si grave que ça?

— Comment? Que veux-tu dire? s'enquit Jo en levant le nez de ses lasagnes.

— Certaines femmes rangent leurs placards quand elles n'ont pas le moral, toi tu fais la cuisine. Moi, dieu merci, je me contente de bouder...

— On ne peut rien te cacher.

— Alors, vas-y, raconte... Il s'agit d'un certain Brian Tyler, est-ce que je me trompe?

Comme Jo baissait de nouveau la tête sans répondre, Amy continua :

— Un fort bel homme, des yeux surtout… et des cheveux qu'on a envie de caresser avec ses doigts, des yeux bleus pétillants d'intelligence… et quoi encore, voyons… oui, des mains extraordinaires de force et de sensibilité…

— Arrête, coupa Joséphine. C'est un véritable cours d'anatomie !

— Que veux-tu, fit Amy en haussant les épaules, je suis comme ça ! Tout ce qui est masculin me plaît. Ah, soupira-t-elle, dire qu'il y a tant d'hommes et que la vie est si courte !

— Tais-toi Amy, on va croire que tu mènes une vie de débauchée.

— De débauchée ? s'écria Amy, est-ce bien toi qui emploie ce vocabulaire de vieille fille ?

Joséphine se mordit les lèvres. Voilà qu'elle se mettait à parler comme Mabel. N'était-ce pas ainsi que la mère de Brian appelait Karen ?

— Moi ? fit Jo en feignant la plus complète innocence. Mais je n'ai rien dit. Que vas-tu imaginer là ?

— Oh non, tu ne m'échapperas pas comme ça, ma belle !

D'un geste calme, Joséphine saupoudra les lasagnes de fromage puis mit les six petits plats dans le four.

— Tu sais quoi ? lança-t-elle en adressant un clin d'œil à son amie. Tu oublies mes paroles malheureuses et je t'invite à venir dîner trois fois la semaine prochaine.

101

— C'est entendu, opina Amy sans une seconde d'hésitation. Mais. maintenant, continua-t-elle en prenant son amie par le bras pour l'entraîner au salon, si tu me confiais tes ennuis...

— Je croyais que tu voulais entendre parler de Brian, déclara Jo, une fois assise dans le canapé.

Amy dévisagea intensément son amie, comme si elle cherchait à lire dans ses pensées.

— Mon petit doigt me souffle que ce jeune homme et tes ennuis sont une seule et même chose.

Avec un profond soupir, la jeune femme renversa sa tête au dossier du canapé.

— Alors, qu'a-t-il de si extraordinaire, cet homme, pressa Amy, à part sa belle tête, les bijoux de sa mère et une femme ravissante ?

— Brian n'a pas de femme, laissa tomber Joséphine d'une voix lugubre.

— Mais... mais qu'est-il arrivé à ... comment s'appelait-elle déjà ?

— Karen...

— Je pensais qu'elle était à l'origine de la brouille entre la mère et le fils ?

Quand Joséphine lui eut fait le récit des malheurs de Brian, Amy conclut :

— Si je comprends bien, Brian accuse Mabel d'être la cause de la disparition de Karen.

— C'est pourquoi il n'est jamais revenu à Boulder.

— Et voilà pourquoi tu es si triste, ma pauvre chérie. Brian te plaît « énormément » mais tu as l'impression qu'il est encore amoureux de Karen ?

— Je suis une idiote. Si seulement Karen pouvait être là, en chair et en os, je pourrais lutter, mais combattre un fantôme... Je n'ai même pas essayé !

— On voit que tu n'as pas non plus tenté de te mettre à sa place. Mais imagine : huit ans se sont écoulés depuis que s'est joué le drame de ta vie et voici qu'un beau jour tu reçois une lettre qui t'oblige à revivre ton passé, du moins en esprit. Ce week-end a dû être extrêmement éprouvant pour lui. Tu me fais rire, Jo, c'est toi qui l'invites à ce voyage dans le temps et ensuite tu lui reproches de vivre dans le passé !

— De toute façon, je n'avais aucune chance.

— Qu'est-ce qui te permet d'affirmer une chose pareille ?

— Tu sais comment il m'a dit au revoir ? Eh bien, il m'a embrassée...

— Ah ! interrompit Amy.

— Sur la joue !

— Mmm... il y a en effet un petit problème.

— Et quel conseil vas-tu me donner ?

— Oublie-le.

— Facile à dire !

— Quelle autre solution as-tu ?

— Aucune, soupira Joséphine.

— Dans ce cas, à table ! Je meurs de faim !

La semaine suivante, Joséphine trouva le conseil d'Amy beaucoup plus facile à suivre qu'elle ne l'avait cru. Pour la simple raison que les ennuis se succédèrent au salon de thé. Et toute cette série de catastrophes l'empêchèrent de penser à autre chose.

C'est ainsi qu'entre ses soucis et les nombreuses lettres de B. Tyler qui arrivaient chaque jour par la poste, Joséphine songea à peine à Brian jusqu'à ce qu'on lui livre à la boutique un paquet en recommandé.

— Mais... ce sont les perles de Mabel! s'écria aussitôt Florence.

La vieille dame se trouvait là et regardait par-dessus son épaule pendant qu'elle ouvrait le paquet.

Joséphine sortit le collier de son écrin et le tint à bout de bras pour mieux l'admirer. Curieusement, il lui sembla un peu différent du bijou que lui avait donné Mabel. C'est alors qu'elle nota qu'il avait été renfilé et qu'on y avait posé un nouveau fermoir. Avec un sourire rêveur, elle caressa une à une les boules et se plongea dans la contemplation de leurs reflets irisés. Jo adorait les perles, mais n'avait jamais pu s'offrir autre chose que des boucles d'oreille.

— Je ne peux pas accepter, murmura-t-elle. Non, c'est impossible.

— Pourquoi pas? fit Florence. Brian a de toute évidence voulu vous les donner.

— Mais vous vous rendez compte de leur valeur?

Comme pour confirmer les propos de Florence, en se penchant sur l'écrin, Joséphine trouva une lettre de Brian.

104

« Jo,

Ceci n'est qu'un modeste présent au regard de tout ce que vous avez fait pour moi.

Très affectueusement,

Brian. »

Après l'avoir lue, la gorge nouée d'émotion, la jeune femme la passa à la vieille dame.

— Cela ne m'étonne pas de la part de Brian, approuva Florence. Il a toujours été la générosité en personne.

— Mais je ne peux pas les garder, voyons !

— Vous voulez lui faire de la peine ? Il a beaucoup d'estime pour vous, Joséphine.

— Comment pouvez-vous en être si sûre ? fit Jo en haussant les épaules.

— Il me l'a dit lui-même pendant ce charmant dîner en tête-à-tête...

La jeune femme faillit demander ce qu'il lui avait confié d'autre, mais se l'interdit. Florence était trop fine mouche pour ne pas deviner...

— Je ne sais vraiment pas quoi décider...

— Ne vous précipitez pas, réfléchissez.

— Vous avez sans doute raison, je vais attendre une semaine.

— Bien, mais maintenant, il faut que je file, j'ai promis à Howard de les accompagner, lui et Sandy, à l'aéroport.

— Vous devenez inséparables, tous les deux, lança distraitement Joséphine.

Elle regretta aussitôt ses paroles, car une expression de profonde tristesse se peignit sur les traits de la vieille dame qui répondit cependant avec un sang-froid qu'admira la jeune femme :

— Oh, je me suis contentée de jouer les intermédiaires entre un grand-père et sa petite-fille. Au départ, il y avait entre eux un gouffre des générations aussi grand que le Colorado, mais maintenant, ils s'entendent comme larrons en foire, vous les verriez tous les deux ! Ils ne cessent de plaisanter...

La semaine suivante fut presque trop tranquille. Vendredi en fin de journée, alors qu'elle venait de fermer la porte du salon de thé, le téléphone se mit à sonner. Après une seconde d'hésitation, elle réinséra fébrilement la clé dans la serrure. La sonnerie avait retenti six fois quand elle décrocha enfin, hors d'haleine.

— Allô ?

— Jo ? Que se passe-t-il ?

— Brian ? hoqueta-t-elle, au bord de l'évanouissement.

— Vous êtes souffrante ?

— Non, non... J'ai un peu couru, voilà tout.

— J'avais peur de ne plus vous trouver.

— Je partais, lui confirma la jeune femme qui reprenait péniblement son souffle, oppressée par l'émotion autant que par l'effort qu'elle venait de fournir.

— Je me demandais... Etes-vous libre ce soir ?

— J'allais inviter… commença-t-elle. Mais pour-quoi cette question ?

— Je suis de passage à Denver et mon avion pour Casper décolle dans sept heures. J'espérais que nous pourrions dîner ensemble…

— Vous voulez que je vienne à Denver ? s'en-quit Joséphine en songeant à sa voiture en panne.

— En fait, je préférerais venir moi-même à Boulder.

Le cœur de la jeune femme fit un bond dans sa poitrine.

— Encore la *Tour Penchée* ?

— Je songeais plutôt au *Flagstaff*…

Flagstaff House était un restaurant très élégant où se servait la meilleure cuisine des environs.

— … Je passe vous prendre chez vous dans trois quarts d'heure, enchaîna-t-il d'un ton sans ré-plique.

Si peu de temps ! Mais elle allait à peine pouvoir prendre une douche !

— Accordez-moi une heure, je vous en supplie. Je laisserai ma porte ouverte. On ne sait jamais, si je n'ai pas fini de me préparer, vous n'aurez pas à attendre à la porte…

— Jo, pour l'amour du ciel, fermez votre porte à clé ! Je commence à comprendre pourquoi Amy s'inquiète tant pour vous ! s'exclama-t-il en riant à son tour. A tout à l'heure…

9.

Joséphine venait de ranger sa bicyclette dans la contre-allée de son immeuble, quand elle rencontra Amy de retour du bureau.

— Franchement, Amy, j'ai besoin d'un conseil. D'après toi, quelle est la robe qui me va le mieux ?

— D'abord, il faut que je te demande où tu vas.

— Au *Flagstaff*.

Amy n'eut pas du tout l'air impressionné.

— J'aime assez la blanche avec le col noir. Pourquoi ?

— Brian est en ville.

— Je vois, fit sa voisine en souriant. Dans ce cas, changement de programme...

D'un geste autoritaire, Amy prit Jo par la main et l'entraîna jusque dans son appartement.

— J'ai exactement ce qu'il faut, assura-t-elle en ouvrant son armoire pour en sortir une robe vert émeraude à l'étoffe chatoyante. Il va tomber à la renverse, ton admirateur !

Joséphine hocha pensivement la tête. Amy avait tellement d'allure, elle n'était pas du tout sûre d'être à la hauteur de cette robe !

— Voyons, Jo, tu es très belle, arrête de te le cacher ! Cette robe va t'aller comme un gant, tu vas voir...

Après avoir jeté un coup d'œil à sa montre Joséphine, haussa les épaules :

— De toute façon, je n'ai pas le temps de discuter.

— Parfait, approuva Amy avec un sourire satisfait. Maintenant, voici de quoi compléter ta tenue de reine, déclara-t-elle en sortant du fond de son armoire une paire d'escarpins à hauts talons en satin vert et un sac du soir assorti.

— Souhaite-moi bonne chance ! lança Joséphine avant de partir. J'ai l'impression que j'en aurai besoin !

— Détrompe-toi. Souviens-toi seulement qu'une fois habillée, il faut oublier ce que l'on porte et être soi-même. Tout le « truc » est là.

Vingt minutes plus tard, après avoir pris une douche et s'être lavé la tête, Joséphine relevait d'un côté la masse opulente de sa chevelure pour la retenir d'un peigne en or. Après quoi, elle se maquilla légèrement et se leva pour enfiler la robe que lui avait prêtée son amie.

Mais en l'examinant, elle s'aperçut avec horreur et stupéfaction que le dos était décolleté jusqu'aux reins. Impossible de porter quoi que ce soit là-dessous… Et elle qui essayait toujours de dissimuler sa poitrine un peu ronde… Avec un soupir d'exaspération, elle se dirigeait vers le placard dans l'intention d'y prendre sa robe blanche, quand le téléphone se mit à sonner. Jo traversa le salon en courant.

C'était Amy.

— Je suppose que tu en es arrivée au point où il faut t'encourager un peu…

— Amy! Je ne peux vraiment pas…

— Mais si, rappelle-toi mon « truc »: mets-la et puis oublie-la.

— Entendu, de toute façon, qu'est-ce que j'ai à perdre?

— Un peu de courage. Et appelle-moi demain matin à la première heure pour me raconter…

— Tu ne préfères pas veiller jusqu'à mon retour comme la dernière fois? se moqua gentiment Joséphine.

— Désolée, mais je vais au concert, ce soir… avec un homme!

Après cette conversation, la jeune femme se glissa dans le fourreau soyeux, le dos tourné au miroir. Puis elle se chaussa des sandales en satin et mit ses perles à ses oreilles. Enfin, n'y tenant plus, elle courut se poster devant la grande glace du placard.

Joséphine contempla son reflet, avec stupéfaction. Cette femme belle, élégante, sûre d'elle, était-ce vraiment elle? C'était une véritable métamorphose! Et une robe avait suffi... A moins que la perspective de revoir Brian...

— Merci, Amy, murmura-t-elle.

Une seule chose manquait pour parfaire sa tenue : les perles de Mabel.

Dès le premier coup de sonnette, Joséphine se précipita vers la porte. Arrivée au milieu du salon, elle s'arrêta net, saisie d'un doute affreux : et si Brian était en jean.

Certes, le *Flagstaff* était très élégant, mais comme souvent dans ces restaurants à la mode, on ne s'y rendait pas forcément en tenue de soirée. Elle y avait même vu des dîneurs en combinaison de ski ! Mais à présent, il était trop tard pour se changer. Avec une profonde inspiration, elle ouvrit la porte alors que retentissait, impatient, le deuxième coup de sonnette...

Il fallut tout son sang-froid à Brian pour ne pas trahir sa surprise devant le spectacle qui s'offrait à sa vue. Il avait à plusieurs reprises été frappé par la beauté de Joséphine mais jamais il n'avait eu l'occasion de voir à quel point elle pouvait être sensuelle. On aurait dit que la jeune femme prenait soin de cacher cet aspect de sa personnalité...

— Le collier vous va à merveille, Jo, fit-il enfin. Je suis ravi que vous le mettiez.

Jo porta nerveusement la main à son cou et déclara :

— A dire vrai, je me demande toujours si je vais accepter ce somptueux cadeau, Brian. En atten-

112

dant, je n'ai pu résister au plaisir de l'étrenner ce soir... Mais ne restez pas sur le palier. Entrez, je vous en prie.

Un tête-à-tête avec une créature aussi ensorcelante ne manquerait pas de finir d'une façon... troublante. Aussi Brian suggéra-t-il :

— Si nous partons maintenant, cela nous laissera le temps de boire un verre sur le patio. Qu'en pensez-vous ?

— Excellente idée ! Attendez-moi, j'en ai pour une minute.

Joséphine se retourna pour aller chercher son sac... et dévoila son dos aux yeux de Brian. Un dos superbe, avec une cambrure parfaite au niveau des reins... Aussitôt des images folles traversèrent l'esprit du jeune homme. Qui les réprima sans pitié.

— Au fait, pardonnez-moi si je me répète, mais vous êtes ravissante, ce soir.

Ces mots prononcés d'une voix rauque firent rougir Joséphine.

— Merci... Vous n'êtes pas mal non plus !

Ce compliment rendait mal justice à l'élégance de Brian. Son costume croisé brun foncé avait sûrement été taillé sur mesure et lui allait à la perfection. Il l'avait assorti d'une chemise jaune pâle et d'une cravate rayée. Mais ce qui frappait surtout chez Brian, c'était son aisance, la façon qu'il avait d'évoluer, avec grâce et assurance. Brian était un homme qu'on aurait remarqué même s'il avait porté un jean...

Une fois de plus, Jo s'interrogea sur le mystérieux passé du jeune homme. Que s'était-il passé entre Karen et lui ? Elle mourait d'envie de le savoir mais n'oserait jamais lui poser la question. Brian gardait jalousement le secret de sa vie privée...

La route qui menait au *Flagstaff* était longue, sinueuse ; aucun des passagers ne prêta attention au paysage de montagne qui se déroulait devant les yeux. Brian et Joséphine étaient bien trop occupés à rattraper le temps perdu. Ils bavardèrent à bâtons rompus comme deux amis qui se retrouvent après une séparation. Aucune gêne ne régnait entre eux. Jo lui raconta la semaine épouvantable qu'elle avait eue au salon de thé ; Brian lui fit part de ses déboires avec un sous-traitant. Ils riaient de bon cœur quand ils se garèrent sur le parking du *Flagstaff*.

Sur le chemin qui menait au patio, Brian fit passer sa compagne devant lui et nota avec amusement les réactions des hommes sur son passage. Tous sans exception regardaient passer cette ravissante dame en vert avec un air plus qu'admiratif. Jo n'avait absolument pas conscience de ces regards posés sur elle. Cela faisait partie de son personnage, songea-t-il. Elle était naturelle, spontanée et ne cherchait pas à accumuler les conquêtes. Pourtant, si elle avait voulu...

On les installa à une table d'où l'on avait une vue spectaculaire sur la ville de Boulder entourée de montagnes aux pics déchiquetés. A chacune de ses

114

visites, Jo ne manquait pas d'être impressionnée par la majesté de ce panorama.

— Mon rêve serait d'avoir une vue pareille de ma maison, fit-elle dans un soupir. Pourvu qu'il se réalise un jour...

— Vous ne croyez pas qu'on se lasse à la longue ?

— Non, comment pourrait-on rester insensible à tant de beauté ?

Un serveur leur apporta leurs boissons et Jo montra à son compagnon tous les bâtiments construits depuis son départ. La conversation, engagée sur Boulder, dériva bien vite sur des sujets plus personnels. Et quand le maître d'hôtel vint les chercher pour les amener à leur table, Jo regretta presque cette interruption.

Une fois installé, Brian se pencha sur la carte des vins.

— Vous aimez le champagne, Jo ?

— J'adore ! C'est ma boisson préférée. Et pour tout vous avouer, j'ai du mal à me montrer raisonnable !

— Et que se passe-t-il quand vous vous laissez aller ?

— Je deviens euphorique, je vois la vie en rose. Il m'est parfois arrivé d'avoir une crise de fou rire...

— Dans ce cas, il faudra que je vous surveille de près. Imaginez la réaction des dîneurs s'ils vous voient rire aux éclats...

— Pour être honnête, j'ai aussi parfois succombé à une agréable torpeur peuplée de songes agréables...

— Faudra-t-il que je vous porte jusqu'à la voiture dans ce cas?

— Ce serait très romantique, non? Un bel homme qui m'enlève vers une destination inconnue...

Brian n'avait aucune peine à compléter la suite. Jo, les bras noués autour de son cou, lui donnant un baiser ardent, porteur d'une sensuelle promesse... Il se voyait en train de faire glisser la fermeture de sa robe et puis...

— Quelque chose ne va pas, Brian?

Ce fut la question de Jo qui le ramena à la réalité. Mais que lui prenait-il, bon sang? Ce devait être la robe provocante de la jeune femme qui faisait naître ces idées en lui... Il était temps qu'il y mette bon ordre!

— Excusez-moi, j'étais ailleurs. Que disiez-vous?

— Je me demandais que choisir sur le menu. Tout a l'air si appétissant. J'hésite entre des *coquilles St Jacques aux petits légumes* et la *selle d'agneau au thym à la broche*... Que me conseillez-vous?

— La *selle d'agneau*, et moi je vais prendre une *escalope de saumon à l'oseille*.

Il fit un signe au serveur qui vint prendre la commande. On leur apporta le champagne dans un seau en argent rempli de glace. En fermant les yeux, Jo savoura une gorgée du liquide pétillant. Mmm, quel plaisir!

Après qu'ils eurent porté un toast à leur santé respective, Joséphine déclara:

— A propos, Brian, vous ne m'avez pas encore dit ce qui vous avait amené à Denver.

— J'ai décidé que le moment était venu d'étendre l'activité de la *Tyler Construction*.

— Ce qui signifie qu'éventuellement, vous allez travailler dans la région? s'enquit la jeune femme non sans appréhension.

— C'est possible. Je compte aussi, si tout va bien, déménager le siège de l'entreprise à Denver.

— Mais que deviendra votre affaire de Casper?

— Je la laisserais entre les mains expertes de mon contremaître avec qui j'ai fondé la compagnie.

— Ainsi vous-même habiteriez Denver...

— Je voyagerais beaucoup évidemment, mais la plupart du temps, oui, je serais à Denver, acquiesça-t-il en la dévisageant intensément.

Joséphine baissa les paupières et fixa sa coupe de champagne d'un air pensif.

— Quand j'ai ouvert mon petit commerce, je rêvais de créer plusieurs salons de thé, sur le même modèle. Les idées ne me manquaient pas.

Au son de sa voix, il devina qu'il était la première personne à laquelle elle confiait cette ambition.

— Et que s'est-il passé?

— J'ai peu à peu compris que je n'étais pas taillée pour les affaires. Je demandais autre chose à la vie que des bilans et des comptes d'exploitation...

— Pourtant vous travaillez très dur.

La jeune femme haussa les épaules.

— Plus récemment, je me suis aussi aperçue d'une chose : petit à petit j'ai laissé le salon de thé devenir toute mon existence.

Elle marqua une pause, puis, comme Brian s'abstenait de tout commentaire :

— Je suis aux prises avec un terrible dilemme, continua-t-elle. D'un côté, je voudrais changer de vie, mais de l'autre, je ne peux pas m'en arracher, vous comprenez ?

A cet instant, le sommelier vint remplir leurs coupes. Le charme était rompu. Joséphine s'était de nouveau refermée sur elle-même. Pour retrouver cette atmosphère d'intimité dans laquelle la jeune femme s'épanouissait et devenait à ses yeux d'une beauté mystérieuse et presque irréelle, Brian lui confia :

— Moi non plus, je n'ai pas accompli le rêve que je caressais à l'université. J'aurais voulu être le nouveau Frank Lloyd Wright, vous savez, le grand architecte de Chicago... Et aujourd'hui, j'ai beau me dire qu'il est aussi intéressant de construire des immeubles que d'en dessiner, qui sait si dans vingt ans, je ne regretterai pas de n'avoir pas poursuivi mon rêve de jeune homme...

— Il est difficile de réagir contre l'état des choses. Par exemple, moi, je ne parviens pas à nager à contre-courant, je me laisse porter...

— Pourtant, vous êtes une femme volontaire, observa Brian. Vous le pourriez si vous y teniez vraiment.

— Je suppose que oui.

118

Pendant le reste du repas, ils prirent soin d'éviter des sujets trop personnels et dégustèrent les mets raffinés qu'ils avaient commandés. Le *Flagstaff* était bien à la hauteur de sa réputation.

— Et que choisissez-vous pour terminer? s'enquit le jeune homme en levant le nez de la carte que venait de leur présenter le maître d'hôtel.

La jeune femme replia le menu avec un soupir:

— Rien du tout, j'ai déjà trop bien mangé.

— Et si je vous permets de partager avec moi une pomme au four nappée de crème? lança Brian avec un clin d'œil complice.

— Vous êtes l'homme idéal! s'exclama Joséphine en s'esclaffant.

Leur dessert terminé, Brian jeta un coup d'œil à sa montre et remarqua:

— Savez-vous que si nous ne prenons pas vite la route, vous risquez de me voir de nouveau passer la nuit chez vous.

Il la taquinait, évidemment, mais c'est néanmoins le plus sérieusement du monde, que la jeune femme répliqua:

— Vous êtes le bienvenu.

Il la considéra une seconde, déconcerté. Etait-elle sincère ou tout simplement polie? Son offre était diablement tentante mais il savait qu'il la refuserait. Jo lui était bien trop précieuse, il voulait apprendre à mieux la connaître avant de donner un tour plus intime à leur relation.

— Merci, fit-il avec désinvolture mais une nuit sur votre minuscule canapé m'a suffi!

Joséphine retint un soupir de soulagement. Il ne l'avait pas prise à la lettre ! Elle avait en effet parlé sans réfléchir, grisée par la magie si particulière de cette soirée. Mais elle n'était pas prête à faire entrer Brian dans sa vie.

Peu après, en sortant du restaurant, il prit tout naturellement Jo par la taille. Et l'émoi que fit naître ce simple contact affola la jeune femme. Inutile de se voiler la face, Brian possédait sur elle un immense pouvoir… dont elle devrait se méfier.

Brian sentit sa compagne se serrer contre lui. Elle était douce et sensuelle, si différente de Karen. Comment avait-il pu les confondre toutes les deux, l'autre jour à la cascade ? En vérité, Karen n'était plus qu'un pâle souvenir alors que Jo, avec sa beauté et son innocence, une innocence que Karen n'avait jamais eue accaparait de plus en plus souvent ses pensées.

120

10.

Pendant le chemin du retour, ni l'un ni l'autre ne se sentait plus d'humeur à parler. Brian s'exhortait au calme, alors que Joséphine résistait de toutes ses forces à la tentation de lui demander quand ils se reverraient.

Le vent s'était levé à Boulder et soufflait à travers les rues désertes à cette heure tardive. Le paysage avait quelque chose de sinistre qui s'accordait à son état d'âme, songea la jeune femme alors qu'elle s'apprêtait pour la seconde fois à dire adieu pour toujours à Brian. A moins que... Mais elle n'osait y croire...

Comme la dernière fois, lorsqu'ils étaient revenus de Central City, il la raccompagna jusqu'à sa porte. De plus en plus mal à son aise, elle se tourna vers lui d'un air gêné et déclara:

— Merci, Brian, pour cette merveilleuse soirée.

Si jamais vous vous retrouvez bloqué à l'aéroport de Denver...

Mais Brian, ignorant la main qu'elle lui tendait, lui caressa doucement la joue du bout des doigts.

— Je n'hésiterai pas à vous téléphoner, promit-il en plongeant son regard dans le sien.

Les doigts de Brian avaient laissé un sillon de feu sur son visage, et son cœur s'était mis à battre follement.

— Même si je ne suis pas bloqué, précisa-t-il d'une voix à peine audible.

Il la prit par le menton et se pencha pour l'embrasser sur la bouche. Dans un soupir, elle ferma les paupières et entrouvrit les lèvres. Ce baiser, elle l'attendait depuis le début de la soirée.

Ils s'embrassèrent une fois, deux fois, trois fois, et peu à peu leur étreinte devint plus ardente, plus passionnée. Ils ne pouvaient plus se détacher l'un de l'autre. Comme d'eux-mêmes, les bras de Joséphine se nouèrent autour du cou du jeune homme et elle se blottit contre lui en gémissant de plaisir.

Avidement, Brian buvait les lèvres de la jeune femme, tandis que d'une main fébrile, il explorait les courbes sensuelles de son corps sous l'étoffe soyeuse de la robe verte, puis écartait son décolleté et plongeait dans la tendre vallée entre ses seins. Le désir la mettait à la torture ; irrésistible, il exigeait l'assouvissement. Jo le voulait de tout son corps, de toute son âme...

— C'est insensé, murmura-t-il d'une voix rauque dans la chevelure parfumée de la jeune femme.

Avec effort, il se détacha d'elle et déposa un long baiser au creux de ses paumes.

— Je pensais avoir dépassé l'âge pour embrasser une femme dans le couloir devant chez elle mais je me trompais !

— Alors ne restons pas sur le palier.

Elle le contemplait d'un air éperdu. Comment résister ?

— Je devrais répondre non… mais j'en suis incapable.

Joséphine lui sourit puis plongea la main dans le petit sac du soir d'Amy pour en sortir ses clés.

— Oh, non… non, c'est impossible. Pas ce soir ! s'exclama-t-elle.

— Que se passe-t-il ?

— Je… je me suis trompée de trousseau ! J'ai pris celui du salon de thé.

Cet incident eut tout au moins l'effet de tempérer l'ardeur du jeune homme et de le ramener à la réalité.

— Qu'allez-vous devenir ? Vous ne pouvez pas passer la nuit sur le palier ?

— Il va me falloir attendre le retour d'Amy. Elle a un double de mes clés.

— Pourquoi ne pas essayer tout de suite, elle est peut-être chez elle ? suggéra Brian.

— Ce n'est pas la peine. Je sais qu'elle est sortie.

— Il y a de la lumière sous sa porte, pourtant.

— Vraiment ? s'étonna-t-elle. Ah oui, vous avez raison.

Amy répondit au premier coup de sonnette.

— Jo... Qu'y... Qu'est-ce qui ne va pas? s'enquit-elle en regardant tour à tour les deux jeunes gens.

— Rien de grave, rassurez-vous, s'empressa de dire Brian. Il est arrivé une mésaventure à Jo.

— J'ai pris les mauvaises clés, expliqua cette dernière d'un air penaud.

— Ah, je vois, soupira Amy, manifestement soulagée.

Elle disparut aussitôt à l'intérieur de son appartement. Quelques secondes plus tard, elle revint avec les clés.

— N'oublie pas de me les rendre demain, sinon, la prochaine fois, c'est le serrurier! lança-t-elle, les yeux pétillant de malice.

— Il n'y aura pas de prochaine fois, jura Joséphine.

— Enchantée de vous avoir revu, fit Amy en se tournant vers Brian.

— A l'avenir, j'espère que nous nous rencontrerons dans des circonstances plus... mondaines...

Brian et Joséphine souhaitèrent bonne nuit à la jeune femme puis Jo ouvrit la porte de son appartement. A sa grande déception cependant, son compagnon resta debout sur le seuil.

— Si je ne pars pas tout de suite, je ne vais pas avoir le temps de rendre la voiture avant d'embarquer, déclara-t-il en caressant sa joue. Mais je serai de retour dès que possible...

Comme s'il avait eu peur de ses réactions, il embrassa sagement son front.

124

— Je vous attends, souffla-t-elle en le suivant du regard alors qu'il s'éloignait dans le couloir.

Une fois seule chez elle, Joséphine fut soudain la proie d'une étrange sensation de vide. Brian avait emporté avec lui toute sa joie de vivre, toute sa volonté de bonheur. Elle n'avait pas menti en disant qu'elle l'attendait, sans lui, son existence n'avait plus aucun sens...

Le vent souffla deux jours durant, soulevant les toiles des patios pour les déposer dans les jardins, arrachant les branches des arbres pour les projeter à travers les fenêtres et sur les toits des voitures. Comme Joséphine ne pouvait prendre son vélo, elle allait à pied à son travail.

Pourtant, contrairement à la plupart des habitants de Boulder, elle ne détestait pas le vent. Même les dégâts dont il était la cause lui semblaient dans un sens justifiés. Quand l'homme insistait pour construire des villes sans tenir compte des desseins de la nature, il ne fallait pas se plaindre des conséquences !

Il aurait été sans doute plus sage de fermer le salon de thé pendant la durée de la course folle du vent à travers la ville, mais Jo avait besoin de se tenir occupée. La recette de ces deux jours s'éleva à moins de cinquante dollars, mais elle en profita pour lire tout en se félicitant de ne pas trop penser à Brian.

Le lendemain de la soirée au *Flagstaff*, elle s'était précipitée chez Amy pour lui rendre ses sandales et son sac.

— J'ai déposé la robe chez le teinturier, expliqua-t-elle en suivant sa voisine à la cuisine. J'espère que tu n'en as pas besoin avant jeudi.

— Etant donné le chemin que prend ma vie en ce moment, je me demande si j'en aurai encore besoin un jour...

— Si je comprends bien, ce n'était pas très réussi, ton concert, hier soir?

— Tu es déjà sortie avec un homme qui passe plus de temps à se regarder qu'à te regarder, toi? interrogea Amy avec amertume. Après trois des heures les plus pénibles de ma vie, je crois que je sais pour ainsi dire tout sur lui alors que je serais prête à parier qu'il n'a même pas retenu mon nom!

— C'est pour cette raison que tu es rentrée si tôt?

— Oui. J'ai profité de l'entracte pour m'enfuir. Cela m'a coûté dix dollars en taxi, mais j'aurais donné volontiers plus!

— Tu es partie sans prévenir? s'exclama Jo, stupéfaite. Mais s'il avait appelé la police?

— Et que leur aurait-il raconté? Il ne sait même pas à quoi je ressemble!... Mais cessons de parler de moi, je veux tout savoir sur ta soirée avec Brian. Vous aviez des étoiles plein les yeux...

— Il n'y a pas grand-chose à raconter.

— Allons, Jo, je ne suis pas aveugle!

Joséphine se leva pour ouvrir la porte du réfrigérateur et se verser quelques gouttes de lait dans sa tasse de café.

— Il est très sympathique, déclara Jo.

126

— Et?

— Et je crois que je lui plais.

— Si j'ai bien interprété son regard c'est encore plus que ça : il est fou de toi, ma belle !

— Je n'en suis pas si sûre. Et puis il y a Karen qu'il ne peut oublier.

Brian avait-il été attiré par elle à cause de sa ressemblance avec Karen ? Sans doute était-ce alors un moyen pour lui de renouer avec son passé.

— Comment peux-tu dire une chose pareille ? Ce n'est pas parce qu'il a jadis aimé une autre femme qu'il est toujours amoureux d'elle ! Tu te sous-estimes, Jo.

— Le problème, c'est que leur histoire d'amour n'a jamais été terminée. Il lui manque un chapitre...

— Je vois que tu as beaucoup réfléchi, beaucoup trop.

Joséphine s'appuya lourdement au dossier de sa chaise et, laissant ses mains retomber sur ses genoux, avoua :

— Je n'ai pas très bien dormi cette nuit.

— Si tu veux un conseil : écoute un peu ton cœur et moins ta raison, décréta Amy avec une gravité inattendue.

Lundi, le vent tomba et la vie reprit son cours habituel. Joséphine était chez elle quand elle aperçut par la fenêtre le facteur qui se dirigeait vers l'immeuble.

Aussitôt, la jeune femme se précipita dans les escaliers à sa rencontre.

— Belle journée aujourd'hui! fit-elle, un peu essoufflée.

— Oui, splendide, approuva avec conviction le facteur en cherchant son nom dans la pile d'enveloppes. Votre ami B. Tyler qui vous écrit tellement ces derniers temps est un grand voyageur, dites-moi, ajouta-t-il en lui tendant plusieurs lettres.

— En réalité, ils sont plus d'un. J'ai écrit à près de huit cents B. Tyler, il y a quinze jours.

— Et vous comptez recevoir autant de réponses? s'écria-t-il, atterré.

Le sourire de la jeune femme s'élargit devant la panique manifeste du facteur.

— Je n'en espérais qu'une, mais ma naïveté m'a joué des tours.

Distraitement elle jeta un coup d'œil à la première enveloppe dont l'expéditeur était un certain Brian Tyler du Kansas.

Après avoir déposé dans les boîtes le courrier des autres locataires, le facteur annonça:

— Bien, je vais devoir vous quitter maintenant, Miss. A demain!

Dans les escaliers Jo feuilleta rapidement la pile notant qu'il y avait là cinq lettres de B. Tyler. A part cela, rien d'intéressant! Le seuil de son appartement franchi, elle jeta les enveloppes sur la table, puis alla se préparer une tasse de café.

Quand elle s'installa sur le canapé quelques instants plus tard, sa curiosité était à son comble. Voyons, quels mensonges contenaient les lettres des faux « B. Tyler » aujourd'hui. L'imagination débordante dont les gens faisaient preuve ne cessait de l'étonner !

La première lui avait été envoyée par un homme qui prétendait être sur son lit de mort et réclamait « l'héritage ». Le second Tyler avait une femme malade. La troisième lettre la fit sourire : un garçon de dix-huit ans demandait s'il pouvait être adopté ! Elle allait déchirer l'enveloppe suivante, quand l'adresse retint son attention : « Casper, Wyoming. »

Son cœur fit un bon dans sa poitrine.

« Chère Jo,
Nous nous sommes quittés il y a une heure à peine. Je suis à bord de l'avion qui me ramène à Casper et je n'arrive pas à penser à autre chose qu'à vous. Si je le pouvais, je ferais demi-tour bien que je sache qu'il n'est pas dans votre intérêt, ni dans le mien d'ailleurs, de trop brusquer les choses.

Qu'est-il en train de nous arriver, Jo ?

J'ignore quand je pourrai de nouveau me libérer pour venir vous voir. Le chantier du nouvel hôtel va accaparer tout mon temps, j'en ai peur. Je tiens à ce que les délais soient respectés. Mais même si vous ne me voyez pas revenir dans les prochaines semaines, n'oubliez pas que je pense à vous.

Vôtre,

Brian. »

A la lecture de ces lignes, Joséphine se sentit envahie d'un sentiment de plénitude. Elle ne craignait plus rien, ni passé, ni présent, ni avenir. Elle aimait Brian et Brian l'aimait! Le soleil étincelait dans le ciel, les oiseaux gazouillaient dans les arbres... Le monde n'avait jamais été aussi beau.

Le lendemain cependant, l'euphorie de la jeune femme fut mise à rude épreuve. Jamais elle n'avait été aussi débordée un mardi, au point qu'elle téléphona à Florence pour la supplier de venir l'aider. Toutes deux, assistées de Howard, travaillèrent sans interruption jusqu'à la fermeture.

— Eh bien! s'exclama Jo, quand le calme fut revenu. Que s'est-il passé aujourd'hui? Si de telles journées se reproduisent je vous enrôlerais volontiers à mi-temps?

— Attention, Jo, je risque à l'occasion de vous rappeler votre offre, lança Florence avant de retourner auprès de Howard.

Ainsi, c'était donc vrai, songea la jeune femme, Florence avait envie de travailler, pas seulement de se distraire. Jo avait l'impression qu'un détail essentiel, ou plutôt la pièce centrale du puzzle, lui manquait...

A l'heure de la fermeture, un autre problème lui vint à l'esprit: comment remercier Florence et Howard de leur assistance? De l'argent? Il n'en était pas question. Ils avaient refusé d'être dédommagés pour l'avoir remplacée le jour où Brian l'avait emmenée à Central City.

— Il faut que je vous parle, annonça-t-elle après

avoir verrouillé la porte. Vous avez le temps de prendre un café avec moi?

Florence jeta un coup d'œil interrogateur à Howard, lequel haussa imperceptiblement les épaules.

— Nous ne sommes pas pressés, déclara finalement la vieille dame avec un sourire.

— A part la prochaine réunion du Club des Aînés prévue pour dans deux jours, je n'ai strictement rien à faire, renchérit Howard qui était le comptable du comité.

— J'ai besoin de vos conseils... Voyez-vous, je souhaite remercier des amis à moi...

— Non, Jo, nous vous avons déjà dit que nous ne voulions rien en échange. Nous sommes ravis de vous aider, vous savez...

— A quoi servent les amis, sinon? intervint Howard.

— D'un autre côté, tout travail mérite salaire. Sans vous, je n'aurais pas réussi à servir tous les clients aujourd'hui. Je tiens à partager d'une façon ou d'une autre mes bénéfices avec vous.

— Cela tourne décidément à l'obsession! s'exclama Howard. Bon, si cela peut soulager votre conscience, vous pouvez nous inviter à manger une pizza.

Un sourire éclaira le visage de Joséphine qui posa sa main sur celle du vieillard.

— Howard, je ne sais pas si je mérite des amis comme vous!

— Voyons, mon petit, murmura presque Florence, c'est nous qui ne vous méritons pas. Vous rendez-vous compte à quel point vous êtes importante pour nous?

Les joues de Joséphine devinrent écarlates et d'une voix émue, elle s'enquit:

— Prêts pour la *Tour Penchée*?

— C'est moi qui offre la boisson! s'exclama Howard.

— Pas question! protesta Jo d'un ton catégorique. C'est moi qui invite ce soir!

11.

Joséphine contempla le plat de raviolis aux épinards à la crème et s'exclama :

— Je n'arrive pas à croire que nous avons tout mangé !

— Moi non plus, avoua Florence en riant. Howard, tu as un appétit d'ogre !

— Moi ? Pas du tout ! C'est vous qui êtes horriblement gourmandes !

— Quel manque de galanterie ! rétorqua Jo.

— Que voulez-vous, je ne suis pas comme votre petit ami...

— Quel petit ami ? interrogea la jeune femme dont le cœur s'était mis à battre plus fort.

— Celui que vous n'avez pas quitté une seconde des yeux lorsque vous avez dîné avec lui vendredi dernier au *Flagstaff*.

— Mais comment... ?

— Vous êtes passée devant Ernie Baxter et sa

fille sans même les voir, lui apprit Florence, le regard pétillant.

— Et maintenant, je suppose que tout le monde sait...

Boulder était une petite ville, elle aurait dû penser que son tête-à-tête avec Brian ne passerait pas inaperçu.

— Et tout le monde est enchanté pour vous, lui assura Florence.

— Franchement, Jo, déclara Howard, certains d'entre nous trouvaient un peu inquiétant qu'à vingt-six ans, vous ne soyez pas encore mariée. Croyez en ma vieille expérience, mon petit, la vie est beaucoup plus amusante à deux. Nous avons trop de tendresse pour vous pour vous voir passer à côté du bonheur.

— Mon dieu, Howard, soupira Florence en donnant un coup de coude à son ami. Jo et Brian ne se sont vus que deux fois en tout et pour tout et voilà que tu en es déjà à envisager le mariage ! Accorde-leur un peu de temps pour mieux se connaître...

— Amen, dit Joséphine.

— *Ensuite* nous enverrons les faire-part, conclut Florence avec un sourire de triomphe.

— Qu'est-ce qui vous rend si sûr qu'il y ait quelque chose entre Brian et moi ?

Comme ses deux compagnons la considéraient d'un air sidéré, elle haussa les épaules:

— Entendu, vous avez gagné, il me plaît beaucoup. Mais cela ne signifie pas pour autant que cela va durer. Sans compter qu'il habite dans le Wyoming.

134

— Nous ne voulons pas être indiscrets, Jo, déclara Florence, nous sommes juste heureux pour vous, voilà tout. Brian est un jeune homme charmant et qui a énormément de mérite.

— Pas comme certains de vos autres...

Howard s'interrompit. Sans doute s'était-il rendu compte qu'il allait trop loin.

— Pourquoi ai-je l'impression d'être maternée ?

— Grand-materné, corrigea Florence, malicieuse. La plupart d'entre nous vivent loin de leur famille, de leurs enfants, de leurs petits-enfants, et quand nous avons la chance d'entrer en contact avec quelqu'un de jeune, comme vous, nous avons tendance à vouloir trop en faire. Ne nous en voulez pas...

— Je ne vous en veux pas, loin de là, assura Joséphine en adressant à la vieille dame un sourire. Mais qui sait ce que nous réserve l'avenir ? Personne ne peut le deviner. Je viens à peine de rencontrer Brian...

Et elle craignait par-dessus tout les commérages, ajouta-t-elle en son for intérieur. Elle aurait voulu vivre son amour à l'abri des regards, seule au monde avec le jeune homme sur une île déserte.

— Je comprends, dit Florence. Je comprends, mais je veux que vous sachiez que si vous avez besoin d'un conseil, nous sommes là.

— Merci, Florence...

— Même si vous n'avez pas besoin de parler, nous sommes là, avança Howard.

Joséphine ne put s'empêcher d'éclater de rire.

— Je n'arrive pas à imaginer que nous puissions nous réunir tous les trois sans parler ! dit-elle en se levant et en prenant son cardigan sur le dossier de la chaise. Vous me raccompagnez jusqu'au coin de la rue ?

— Nous vous raccompagnons jusque chez vous, si vous voulez, proposa Florence.

— Ah, j'ignore d'où vous tirez votre énergie tous les deux ! Je tombe de fatigue et vous, vous vous comportez comme si vous aviez passé la journée à ne rien faire !

— C'est l'oisiveté qui nous fatigue au contraire, lui confia Howard en tendant son sac à Florence.

Dehors, l'air nocturne était tiède, sans un souffle de vent. Une chaude nuit d'été incitant à la paresse. Comme il devait être bon, songea la jeune femme, d'être allongée dans l'herbe fraîche et de guetter les étoiles filantes dans le ciel étoilé...

Joséphine souhaita bonne nuit à ses amis au coin de la rue. Le couple attendit de voir la silhouette de la jeune femme disparaître dans l'obscurité avant de reprendre le chemin de la résidence.

— Quelle jeune femme délicieuse, remarqua Howard en prenant la main de son amie.

— Espérons que la vie ne sera pas trop dure pour elle, chuchota presque Florence.

Elle avait un curieux pressentiment en ce qui concernait Jo et Brian comme si un terrible malheur était suspendu au-dessus de leurs têtes.

— Pourquoi ce pessimisme tout à coup ? s'étonna son compagnon. Il y a quelques jours à peine, tu proclamais qu'il était l'homme idéal pour elle...

— C'est l'attitude de Jo qui m'inquiète, elle lutte contre son propre bonheur. Quand on aime à ce point, il suffit de peu de chose pour vous rendre fou de chagrin.

Il y eut un long silence, qu'Howard rompit d'une voix sourde :

— Tu ne parles pas seulement de Jo, n'est-ce pas ?

— Il nous reste si peu de temps, pourquoi faut-il que nous le gâchions ?

En vivant séparés l'un de l'autre, ils se privaient de tant de menus plaisirs qui pour eux étaient devenus essentiels. Elle regrettait de ne pas pouvoir partager avec lui les fugitives pensées qui lui traversaient l'esprit et qu'elle oubliait aussitôt ; elle regrettait de ne pas le trouver là le matin, de ne pouvoir lui préparer son café, de ne pas commenter le journal avec lui...

— Nous en avons discuté mille fois sans trouver de solution, dit Howard avec une pointe d'irritation.

— Si seulement...

— Si seulement quoi ?

— Oh, je ne sais pas, je suppose qu'il ne faut pas demander l'impossible. Les miracles n'existent pas, n'est-ce pas ? énonça-t-elle tristement à l'idée que peut-être, un jour prochain, Jo aurait besoin de son aide permanente à la boutique.

Dimanche après l'heure d'affluence, Joséphine était en train de napper un gâteau au chocolat quand le téléphone se mit à sonner.

— Zut! s'exclama-t-elle en posant sa spatule. Allô? qu'y a-t-il pour votre service?

— Pour mon service? Jo, vous rendez-vous compte à quel point vous êtes provocante?

— Brian! s'écria-t-elle. Qu'est-ce qui est si provocant?

— Votre question...

— Mais pourquoi?

— Je vous le dirai demain, si vous êtes d'accord.

— Demain? Vous venez à Boulder demain?

Elle essayait de contenir son excitation, mais ce n'était pas facile.

— Pas à Boulder exactement. J'ai un rendez-vous le matin à Denver, mais je suis libre le reste de la journée. Je peux être chez vous après le déjeuner.

— Je viendrai vous chercher à l'aéroport de Denver. Ainsi vous n'aurez pas à louer une voiture...

Et elle l'attendrait moins longtemps, ajouta-t-elle en son for intérieur.

— Je croyais que vous aviez coulé une bielle?

— Je m'étais trompée, le garagiste a tout arrangé.

A l'autre bout du fil, Brian éclata de rire.

— Je vois que vous n'êtes pas mécanicienne. Entendu, mais que ferez-vous pendant mon rendez-vous?

— J'ai tellement envie de vous voir, Brian, ne me privez pas de ce plaisir, ne put-elle s'empêcher de lui avouer.

138

— Vous savez parler aux hommes, Jo, fit-il gaiement.

— J'ai reçu votre lettre. Je ne m'attendais pas à avoir de vos nouvelles si vite.

En réalité, il avait travaillé d'arrache-pied toute la semaine pour pouvoir retourner à Denver le plus rapidement possible.

— A quelle heure est votre vol? poursuivit la jeune femme.

Brian ramassa une feuille de papier qui traînait sur son bureau au milieu du désordre.

— Vol 807, *United Colours,* arrivée à Denver à neuf heures vingt-deux, lut-il tout haut.

— Dois-je mettre un œillet à ma boutonnière pour que vous me reconnaissiez? plaisanta Joséphine.

— N'ayez crainte, fit-il d'une voix délibérément suggestive, ce ne sera pas nécessaire. Ma mémoire a enregistré chaque courbe de votre corps.

A ces mots, Joséphine devint écarlate. Heureusement, il n'y avait personne dans la boutique!

— J'allais vous demander ce que je devrais porter pour cette journée à Denver, mais à la réflexion, je vais me débrouiller toute seule...

Brian rit de bon cœur, puis, comme son contremaître, Jack Hargrove entrait dans son bureau, il s'exclama :

— Jack! que fais-tu ici? Je pensais t'avoir ordonné de rester chez toi ce week-end. Ta famille doit commencer à ne plus savoir à quoi tu ressembles!

Depuis le début du chantier de l'hôtel qui leur

avait posé tant de problèmes, Jack avait travaillé au moins autant que lui.

— Nous sommes justement en route pour le parc. Veux-tu te joindre à nous ? Nous allons pique-niquer sur l'herbe.

— Si seulement je le pouvais...

— Allons, allons, gronda son contremaître. Ce n'est pas parce que tu es le patron qu'il faut rester enfermé dans ton bureau toute ta vie !

Il y avait longtemps qu'il n'était pas sorti en compagnie de Jack et Linda, il n'avait pas vu leurs deux adorables petits garçons depuis des siècles ! Brian considéra le désordre de lettres et de dossiers étalés sur la table. Il avait été tellement pris dernièrement à l'extérieur, qu'il n'avait pas eu le temps de s'occuper de son courrier.

Brian allait refuser l'invitation de Jack, quand à sa grande surprise, il s'entendit prononcer :

— Entendu, Jack, je descends dans une minute.

— C'est Linda qui va être contente, elle m'avait menacé de toutes sortes de punitions si je ne parvenais pas à te persuader !

Brian adressa un sourire amical à son contremaître tandis que ce dernier sortait de la pièce, puis il murmura dans le récepteur :

— Désolé de vous avoir interrompue, Jo.

— Un pique-nique... Comme c'est merveilleux. Je regrette de ne pouvoir y aller, moi aussi.

— Et moi, je regrette que vous ne puissiez venir.

— Amusez-vous bien. A demain, Brian.

Après avoir raccroché, Joséphine resta quelques

minutes à regarder dans le vide. Comme ce serait bon de partager des joies simples avec Brian, une promenade à la campagne, un pique-nique avec des enfants… Le jeune homme aimait tant les enfants, elle se souvenait de la façon dont il avait tout de suite été adopté par le fils de son vieil ami Carl, à Central City… Et la fille de Karen ? Ne l'avait-il pas considérée comme sa propre fille ?… S'apercevant soudain du cours que prenaient ses pensées, elle s'obligea à revenir sur terre.

Joséphine n'eut pas besoin de réveil le lendemain pour la tirer du sommeil. Son état d'excitation était tel qu'elle ne ferma presque pas l'œil de la nuit. A peine le jour se levait avec les premiers gazouillis des oiseaux, qu'elle était debout et se préparait à partir pour Denver.

Une fois de plus, elle avait demandé à Amy des conseils vestimentaires, et sa voisine lui avait prêté une autre robe, celle-là jaune d'or avec une jupe fendue jusqu'à mi-cuisse ! Mais aujourd'hui, elle était de trop bonne humeur pour y prêter attention !

Même la Toyota démarra au quart de tour, grâce aux bons soins du mécanicien. Joséphine alluma la radio et chercha la station qui diffusait de la Country Music. Quarante-cinq minutes plus tard, elle sifflotait encore quand elle arriva à l'aéroport de Denver.

Le terminal d'*United Colours*, une des principales lignes aériennes intérieures des Etats-Unis, était bondé. Joséphine se fraya un chemin dans la foule, évitant soigneusement de se heurter aux hommes d'affaires pressés en costume gris, attaché-case à la main, qui entraient et sortaient de l'aérogare d'un pas rapide et assuré. Puis elle se mêla aux simples voyageurs qui comme elle, cherchaient à déchiffrer les heures d'arrivée et de départ des vols affichés sur les écrans lumineux à quatre mètres du sol. Le vol 807 était annoncé à la porte onze, pour dans une vingtaine de minutes.

En attendant, la jeune femme se promena dans le vaste hall, ravie de cette opportunité d'observer l'humanité dans un des lieux où elle se révèle le plus facilement. Joséphine avait toujours beaucoup aimé les aéroports. D'une nature curieuse, elle ne se lassait pas de regarder les autres, d'imaginer leur vie. Cet enfant debout devant ce pilier, l'air inquiet à côté de cette énorme valise, sans doute sa mère l'avait-elle laissé là pour aller acheter les journaux. Oui, c'était bien ça. La voilà qui revenait vers son fils qui l'accueillit avec un sourire de soulagement... Et ce couple, là-bas, à côté du débit de sandwichs, comme ils paraissaient tristes et silencieux. Leurs visages sombres trahissaient le chagrin d'une séparation imminente... Joséphine se demanda alors ce que son visage à elle reflétait. La joie et l'impatience de retrouver bientôt celui qu'elle attendait?

La foule était moins dense devant la porte numéro onze. Joséphine jeta un coup d'œil à l'horloge murale. Encore dix minutes d'attente... Il lui sem-

142

blait être là depuis des heures déjà! Elle s'installa sur un siège devant la porte et ramassa le journal que quelqu'un avait oublié sur le siège voisin et se mit à lire… sans parvenir à se concentrer. Agacée, elle laissa le journal retomber avec un soupir d'exaspération.

Joséphine levait les yeux vers l'horloge quand elle croisa soudain le regard bleu de Brian. Brian… Il était à quelques mètres au-delà de la barrière, au milieu d'une foule d'autres passagers, mais la jeune femme n'avait d'yeux que pour lui. Une douce et irrésistible langueur s'était emparée d'elle, elle avait l'impression de flotter entre terre et ciel.

— Tu es aussi belle que dans mon souvenir, chuchota Brian quelques secondes plus tard en la prenant dans ses bras.

Il s'empara avidement de ses lèvres et ils s'embrassèrent avec passion, oubliant le reste du monde, les gens qui les frôlaient pour gagner la sortie, la voix des hôtesses susurrant dans les haut-parleurs.

Finalement, Brian se détacha d'elle à regret:

— Tu m'as attendu longtemps? s'enquit-il en la dévisageant intensément, comme s'il cherchait à graver ses traits dans sa mémoire.

C'était la première fois qu'il la tutoyait. Muette d'émotion, Joséphine fit non de la tête. Brian la prit par la taille et l'entraîna vers la sortie.

— Ton vol s'est bien passé? interrogea-t-elle d'une voix sourde, davantage pour dire quelque chose que par intérêt véritable.

— Très mal plutôt!

— Comment? s'étonna-t-elle.

— J'ai bien cru que je n'arriverais jamais! s'exclama Brian en l'enlaçant tendrement. Non, ma chérie, je n'ai pas perdu la tête, pas tout à fait en tout cas. Seulement, pendant que j'étais là-haut à vingt mille pieds au-dessus de la terre, j'ai été pris de ce doute abominable... J'ai cru que mon imagination m'avait joué un tour, que tu n'étais pas aussi belle que dans mon souvenir, que c'était strictement impossible... Qu'aucune femme au monde n'était aussi resplendissante!

— Et alors? souffla Joséphine, le cœur battant.

— Eh bien, j'avais tort.

— C'est-à-dire? sourit-elle, à moitié rassurée seulement.

— Tu es plus ravissante encore!

Le visage de la jeune femme s'illumina de bonheur.

— J'étais un peu nerveuse, moi aussi, avoua-t-elle.

Brian effleura ses lèvres avant de la prendre par les épaules pour continuer leur route.

— J'aimerais tant passer toute la journée avec toi, ma chérie, chuchota-t-il. Malheureusement, j'ai ce rendez-vous. Ce monsieur part pour l'Europe dans quelques jours, et si je ne le vois pas aujourd'hui, je ne pourrai pas lui parler avant deux mois...

— Cette réunion a-t-elle un rapport avec l'installation de ton entreprise à Denver? questionna Joséphine.

144

— Naturellement. Maintenant que ma décision est prise, j'ai hâte que ce soit chose faite.

Au moins Brian n'était pas homme à tergiverser ! Joséphine se demanda s'il en allait de même dans sa vie privée.

— Où vas-tu installer tes bureaux ?

— Je ne sais pas encore, je viens de consulter un agent immobilier.

Comme ils avaient atteints l'entrée du parking, Brian s'enquit :

— Où es ta voiture ?

Joséphine montra la Toyota du doigt, consciente tout à coup du mauvais état de son véhicule à côté des autres automobiles dont les carrosseries impeccables étincelaient au soleil.

— Elle n'est pas neuve, mais nous sommes de vieilles amies et nous nous comprenons, déclara-t-elle, comme pour s'excuser. Je lui ai promis de la faire repeindre si elle me durait encore un autre hiver.

Brian ne put s'empêcher d'éclater de rire.

— Tiens, je n'ai jamais essayé ce genre de chantage avec mes voitures, c'est intéressant...

Quand ils arrivèrent à la hauteur de la Toyota, Joséphine lança en riant :

— Tu veux conduire ?

— Non, merci. J'ai pour principe de ne jamais m'interposer entre une femme et sa voiture.

La jeune femme grimpa dans la Toyota. Elle s'était toujours juré que l'homme de sa vie aurait le sens de l'humour. Jamais elle n'aurait pu tomber amoureuse... Soudain, son sourire se figea. L'amour... Elle ne devait pas songer à l'amour en ce qui concernait Brian. Il ne fallait pas oublier le passé, Karen...

— Qu'y a-t-il? Tu sembles bizarre tout à coup.

— Je...

— Tu es bien pâle...

— Je... je suis un peu fatiguée. Il y a eu beaucoup de monde ces temps-ci au salon de thé et...

Brian la prit affectueusement par le menton.

— J'ai l'impression que tu n'es pas sincère... Qu'y a-t-il, Jo?

Elle qui était si transparente d'habitude, elle dont il lisait les pensées à livre ouvert sur son visage et dans ses yeux verts, voilà qu'il n'y comprenait plus rien. Elle se détournait de lui, en proie à un chagrin dont il ignorait la cause.

— Je ne sais si nous devrions continuer à nous voir, déclara subitement la jeune femme en étouffant un sanglot.

— Donne-moi ta main, Jo.

— Tu l'as déjà...

— Non, l'autre, j'ai besoin des deux pour ce que j'ai l'intention de te montrer.

Joséphine obtempéra. Et le jeune homme lui fit poser ses deux mains à plat sur sa poitrine, à l'endroit où son cœur cognait, cognait...

— Comme il bat vite! ne put-elle s'empêcher de s'écrier.

— C'était le seul moyen de te persuader que je partage tes sentiments.

146

La jeune femme sourit à travers les larmes qui brouillaient sa vue.

— Tu es fou! Nous sommes fous! Combien de temps crois-tu que ça peut durer?

— Trois semaines et demie.

— Trois... mais...

Puis, se rendant compte qu'il la taquinait, elle sourit.

— En réalité, je pense qu'il nous faudra à peu près ce temps pour apprendre à mieux nous connaître... tâche ô combien plaisante que nous allons commencer dès aujourd'hui...

— En attendant, déclara Joséphine en tournant la clé de contact, une chose que je préfère ne pas savoir tout de suite, c'est dans quelle humeur te met un rendez-vous manqué!

12.

Après avoir déposé Brian devant l'entrée d'un des nombreux immeubles dans le style néo-classique qui font la splendeur de Denver, Joséphine mit le cap sur la seizième rue, et plus précisément sur le dernier-né des centres commerciaux de la ville : le *Tabor Center,* dont Amy lui avait vanté le luxe et le raffinement.

Sa voisine n'avait pas menti : on y trouvait toutes les boutiques des grands couturiers européens et new-yorkais, ainsi qu'un nombre impressionnant de bijoutiers. Quant au cadre, on se serait davantage cru dans la serre d'un jardin botanique que dans un centre commercial. Malheureusement, l'état de son compte en banque ne lui permettait pas de s'acheter la plus modeste écharpe ! Aussi se contenta-t-elle d'admirer le paysage et de rêver aux robes qu'elle pourrait s'acheter pour plaire à Brian...

Brian... Ses pensées ne cessaient de retourner vers lui, comme une obsession. Alors qu'elle déambulait au hasard des rues, son esprit était ailleurs, auprès de lui. Que leur réservait l'avenir? Cela faisait déjà trois semaines et demie qu'ils s'étaient rencontrés... Et après? Quand elle l'avait interrogé, il avait ri, s'était dérobé... Non, elle ne s'était pas trompée en jugeant qu'il ne s'était jamais remis de son histoire avec Karen; il l'aimait encore, aucune autre femme ne pourrait prendre la place de Karen dans son cœur... sauf temporairement bien entendu... Elle allait ajouter son nom à la longue liste de ses conquêtes... Et pourtant, pourtant, quand elle le regardait dans les yeux, elle oubliait ses doutes, ses craintes, pour croire un instant qu'elle était tout pour lui...

C'est en se livrant à ces réflexions, qu'elle se rendit au *Westin Hotel* où il lui avait donné rendez-vous. Elle rencontra Brian dans le jardin devant l'hôtel. Il lisait tranquillement le *Denver Post* sur un banc, à l'ombre d'un des beaux arbres qui ornent les nombreux espaces verts de la ville.

— Comment s'est passée ta réunion? interrogea-t-elle en se glissant à côté de lui.

Sans trahir la moindre surprise, le jeune homme abaissa son journal et se tourna vers elle en souriant:

— Jo... tu es là... Tout va bien, nous devons commencer au printemps, informa-t-il. Puis jetant un coup d'œil aux mains de la jeune femme sagement croisées sur sa sacoche: mais tu n'as pas eu autant de chance que moi, à ce que je vois.

— Comment ? fit Jo sans comprendre.

— Tu n'as pas de paquet.

— Oh ! s'exclama-t-elle en souriant. C'est ma faute, j'ai eu la sottise de m'arrêter trop longtemps devant une certaine peinture dans une galerie, improvisa-t-elle. Ces œuvres d'art, elles sont quelques milliers de dollars trop chères pour moi...

— Ainsi, tu aimes la peinture, voici une nouvelle facette de la belle Jo Williams ! Cela signifie-t-il que tu peins toi-même ?

Joséphine éclata de rire :

— J'ai eu l'insigne honneur d'être la seule élève de mon école à faire pleurer le prof de dessin !

— Tellement ton talent l'avait impressionné !

— Attention Tyler ! Mesure bien tes paroles !

En riant, Brian déposa un baiser sur son front.

— Ne sois pas vexée. Je ne suis jamais arrivé à fabriquer un avion en papier convenable !

— Parce que pour toi, les Beaux-Arts et les avions en papier...

— Eh, pour un garçon, ces choses-là sont capitales ! se défendit Brian.

Joséphine se pencha vers lui et lui tendit les lèvres en une invite au baiser. Brian ne se fit pas prier.

Une minute plus tard, ils se détachaient, un peu haletants, l'un de l'autre.

— Cette... insuffisance t'a-t-elle traumatisé ? interrogea la jeune femme en reprenant la conversation où ils l'avaient laissée.

— Non, pas vraiment pour être honnête. A propos, et si on déjeunait ? Ça irait peut-être mieux.

— Qu'est-ce que le fait de...

Sans terminer sa phrase, il considéra un instant la jeune femme d'un air perplexe puis renversa la tête en arrière et partit d'un rire sonore.

— Tu es drôle, Jo... Tu meurs de faim, n'est-ce pas?

— Serais-tu sorcier, par hasard? Comment as-tu deviné?

— Il suffit de regarder ma montre, il est déjà deux heures de l'après-midi! Connais-tu un restaurant agréable où l'on peut déjeuner à cette heure tardive?

— J'en connais au moins vingt!

— Je te laisse le soin de choisir.

Joséphine le conduisit dans un petit restaurant à l'aspect modeste tenu par une famille, mais où la cuisine était de premier ordre. Etant donné l'heure tardive, il n'y avait plus personne. Ils déjeunèrent dans le petit patio entre un chat qui ronronnait sur une chaise et un adolescent qui jouait tranquillement de la guitare dans un coin.

— Comment diable as-tu découvert cet endroit? s'étonna Brian. Leur poulet à la crème est une merveille!

— C'est Florence qui m'y a amenée un jour que nous sommes allées faire des courses ensemble. C'est un de mes restaurants préférés... Mais je n'étais pas venue à Denver depuis des siècles, depuis en fait que j'ouvre la boutique six jours sur sept au lieu de cinq, précisa-t-elle.

— Pourquoi as-tu changé ton emploi du temps?

— Oh, parce que je m'ennuyais, mentit-elle.

En réalité, elle restait ouverte davantage dans l'espoir d'augmenter son chiffre d'affaires. Mais apparemment, le jeune homme se contenta de sa réponse, car il reprit:

— Jo, je sais que le moment est mal choisi, mais je voudrais te remercier pour quelque chose...

— Ah?

— Je n'aurais jamais été à ce pique-nique avec Jack et sa famille si je n'avais pas été au téléphone avec toi. .

— Je ne vois vraiment pas le rapport!

— Je savais que de toute façon, je serais incapable de me concentrer...

— Et qu'il ne te restait plus qu'à gâcher ton après-midi en compagnie de ton ami, le taquina Joséphine.

Brian acquiesça:

— Et cela m'a permis d'avoir une révélation: je ne m'étais jamais rendu compte à quel point j'étais devenu l'esclave de la *Tyler Construction*!

— Je suppose que tu as passé un bon après-midi?

— Mieux que cela. Cela faisait longtemps que je ne m'étais pas senti aussi détendu.

— Et tu as juré de prendre dorénavant davantage de vacances?

— Pas immédiatement. Mais cela m'a rappelé que le travail n'était pas tout dans l'existence.

Joséphine posa ses coudes sur la table et son menton sur ses paumes ouvertes de ses mains.

— De temps en temps, dit-elle pensivement, moi aussi je me dis que je gâche ma vie dans un salon de thé, jour après jour, mois après mois.

— Et que fais-tu dans ce cas?

Jo ne répondit pas tout de suite et dans le silence les notes de la guitare résonnèrent, mélodieuses, mélancoliques.

— Je me souviens de tout ce que je possède déjà.

Brian approuva en hochant doucement la tête, sans prononcer un mot, profondément ému par la générosité de la jeune femme pour qui l'amitié comptait davantage que la réussite. Et pourtant il sentait en elle comme un trop plein de curiosité et d'envie de voir le monde...

— Et cela suffit à te consoler? s'enquit-il.

— Pas toujours.

— Et dans ce cas, comment viens-tu à bout de ta dépression?

La jeune femme haussa les épaules.

— Je fais la cuisine ou alors je prends un bain chaud, avoua-t-elle, et je pleure toutes les larmes de mon corps. Ensuite je me sens mieux.

— Jusqu'à la prochaine fois...

— Brian... pourquoi me fais-tu souffrir ainsi? lui reprocha-t-elle soudain en refoulant les larmes qui lui piquaient les yeux.

— Parce que je suis prévoyant, j'envisage le jour où je te demanderai de quitter Boulder. Je veux connaître mon rival...

— Ton rival? répéta Joséphine, la gorge nouée. Mais...

154

— Je ne cherche pas à t'effrayer, Jo, fit-il en posant tendrement sa main sur celle de la jeune femme. Seulement, je veux que tu saches combien tu comptes pour moi...

— Je... j'espère que... bredouilla-t-elle, au comble de la confusion. Mais... et Karen ?

— Karen ?

C'était au tour de Brian d'avoir l'air décontenancé.

— Inutile de me mentir, j'ai bien vu ton expression l'autre jour quand tu m'as parlé d'elle. N'essaye pas de me cacher, de *te* cacher la réalité, Brian...

— Mais je ne te cache rien, je t'assure ! Il n'est pas non plus dans mon intention de rabaisser la place que Karen a eue dans ma vie, et je peux te jurer que jusqu'à ce que je te rencontre, personne n'avait su combler le vide qu'elle avait laissé en moi...

Comme elle aurait voulu le croire ! Il paraissait tellement sincère. Mais elle était convaincue qu'il était le jouet d'une illusion : le désir qu'il avait d'elle effaçait pour l'instant son chagrin, mais aussitôt qu'il l'aurait fait sienne, qu'adviendrait-il de tous ces beaux discours ? En pensée, il retournerait auprès de celle qu'il n'avait jamais cessé d'aimer.

— Où tout cela nous mène-t-il ? soupira-t-elle.

— Pourquoi pas au musée ? lança-t-il gaiement en feignant d'ignorer la véritable signification de ses paroles. J'ai toujours voulu visiter un de ces lieux sacrés de l'Art avec un grand A !

A ces mots, Brian se leva et lui tendit la main pour l'aider à se relever. Sans hésiter, la jeune femme se blottit contre lui, sans doute dans l'espoir inconscient d'être rassurée.

Comme s'il avait lu dans ses pensées, il se pencha vers elle et murmura à son oreille, oubliant la présence discrète du guitariste :

— Comment puis-je te prouver que je suis sincère ?

Joséphine leva vers lui de grands yeux verts brillant d'un fol espoir :

— Je te crois, Brian, je te crois...

Avec une ardeur contenue, il effleura ses lèvres avec sa bouche.

— Tu es sûr que tu t'intéresses à la peinture ? interrogea-t-elle, malicieuse tout à coup.

Il se serait passionné pour les Indiens d'Amazonie si cela pouvait lui faire plaisir !

— En dehors des arts associés à l'architecture, je suis d'une totale ignorance, confessa-t-il en lui mordillant le lobe de l'oreille. Laisse-moi profiter de ta science pour me cultiver un peu...

En quittant le patio main dans la main, ils se retournèrent de concert pour saluer le guitariste qui suspendant sa main au-dessus des cordes de son instrument, leur dit au revoir d'un large sourire.

— Grands dieux ! s'exclama Brian en tombant en arrêt devant un portrait de Renoir aux tons éclatants.

— Cette toile s'appelle *Le chapeau rouge*, indiqua sa compagne. Tu aimes Renoir ?

— Je n'avais jamais vu que des reproductions de ses toiles, répliqua le jeune homme. Des cartes postales... Je trouvais que c'était un peu mièvre, mais quand on voit les originaux, ce n'est plus la même chose ! Quelle puissance ! Quelle vie ! Quel éclat dans les yeux de cette femme ! On dirait qu'elle va se mettre à bouger, qu'elle va nous sourire...

Brian se perdit si bien dans la contemplation du Renoir, que la jeune femme dut le tirer par la manche pour l'emmener dans la salle où était exposé *L'examen de danse* de Degas.

Quand un quart d'heure plus tard, il émergea de la sorte d'hypnose dans laquelle l'avait plongé les diaphanes danseuses de l'artiste, ce fut pour lancer cette remarque :

— On n'aura jamais le temps de tout voir !

— Il n'est pas nécessaire de tout voir d'un coup, rétorqua sagement Joséphine. Nous reviendrons à notre prochain passage à Denver.

A cet instant, une voix suave se déversa dans la salle d'un haut-parleur invisible pour annoncer que le musée fermait dans dix minutes.

— De toute façon, nous ne pouvons pas faire autrement, constata Brian en esquissant une grimace. Quel dommage ! Je n'ai même pas vu les artistes américains !

— Quel enthousiasme !

— Ne te moque pas de moi. Cette visite au *Denver Art Museum* marque un tournant dans mon existence.

157

— Tiens, pourquoi?

— Parce que je ne vais jamais plus être capable de me contenter d'une reproduction.

— Et alors?

— Qu'est-ce que je vais pouvoir accrocher au mur de mon salon?

— Vu que rien ici n'est à vendre, rien.

— Tu veux rire. Et moi qui voulais ce splendide Rembrandt!

— Je croyais que tu préférais Degas, observa la jeune femme.

— Pas pour le salon.

Joséphine ne put s'empêcher de rire.

— Où veux-tu aller maintenant?

— Que dirais-tu de prendre le thé à une terrasse quelque part?

— Et si nous allions prendre le thé chez moi?

Leurs regards se croisèrent. Ils savaient parfaitement tous les deux ce que cette invitation signifiait.

— Tu es sûre? chuchota-t-il presque en ramenant une boucle blonde qui avait glissé sur le front lisse de la jeune femme.

— Je suis sûre que j'ai du thé à la maison, oui.

— Tu sais de quoi je parles, gronda-t-il gentiment. Donne-toi le temps de réfléchir.

— Oh, ce n'est pas la peine.

La lueur qui brillait au fond de ses yeux verts était une réponse suffisante. Il la prit soudain par le bras pour l'entraîner vers la sortie.

Arrivée en haut de l'escalier de marbre blanc, la jeune femme s'immobilisa et laissa échapper une exclamation.

— Qu'y a-t-il? s'enquit Brian, inquiet.

— Non, ce n'est pas possible! Pas aujourd'hui! fit-elle en se frappant le front.

— Explique-toi, enfin!

— Je... je ne sais plus où j'ai garé la voiture après t'avoir déposé.

— C'est tout? soupira-t-il, manifestement soulagé.

Il l'enlaça avec fougue et l'embrassa longuement, la serrant contre lui à l'étouffer. Joséphine s'abandonna, le souffle court, le cœur battant, sans se soucier du gardien qui fermait derrière eux la lourde porte du musée.

— S'il le faut, nous prendrons un taxi, murmurat-il en se détachant d'elle à regret.

— Ça y est! Je me souviens! s'écria-t-elle en lui sautant au cou.

— Quoi? Ah, oui... la voiture... Mais si tu me promets de me laisser conduire. Je n'ai aucune envie de me retrouver à Colorado Springs.

— Pourquoi? C'est une ville charmante.

— Tu y possèdes un appartement?

— Non.

— Alors, tu vois, il vaut mieux que je prenne le volant. Allons, viens, continua-t-il en la prenant par la taille. J'adore ce musée, mais pas au point d'y passer la nuit...

En arrivant, Joséphine trouva un mot sur sa porte.

— Il faut que je descende chez ma propriétaire pour prendre un message d'Amy, annonça-t-elle à

159

Brian. Il paraît que c'est urgent. J'en ai pour une minute!

— Je t'accompagne?

— Je ne préfère pas, répondit-elle en ouvrant la porte de chez elle. Mme Kennedy est capable de te vamper...

Un sourire amusé flotta un instant sur les lèvres du jeune homme.

— Comme tu es possessive, chuchota-t-il avant de la lâcher. Reviens-moi vite...

— Ne t'inquiète pas, une armée entière ne parviendrait pas à me retenir!

La jeune femme mit cependant dix bonnes minutes à obtenir le contenu du message d'Amy. Janet Kennedy, une blonde platine d'une quarantaine d'années au rouge à lèvres particulièrement agressif était une redoutable bavarde. Celle qui avait, d'après Amy, trop regardé les films d'Hollywood des années cinquante, chercha d'abord à savoir quel était « ce charmant garçon » que Joséphine avait ramené chez elle. Comme Jo esquivait la question, Janet lui annonça qu'Amy était partie pour quelques jours en voyage d'affaires.

Pourquoi diable ne pas l'avoir simplement indiqué sur son mot? ragea intérieurement Joséphine en remontant le plus vite possible rejoindre Brian. C'était bien de Janet!

Une fois devant chez elle, Jo marqua une hésitation. A l'intérieur, on entendait la radio qu'elle avait oublié d'éteindre, ce matin.

Elle se sentait tout à coup singulièrement émue à

160

L'AMOUR DE PREMIÈRE CLASSE

Postez-nous ce coeur aujourd-hui!

Et nous vous ferons parvenir:

**4 NOUVEAUX ROMANS GRATUITS
UNE TROUSSE DE MANUCURE GRATUITE
PLUS
UNE SURPRISE-MYSTÈRE
EN PRIME À VOTRE PORTE!**

Voyez plus de détails à l'intérieur

HARLEQUIN LIVRE
L'AMOUR DE PREMIÈRE CLASSE—
DIRECTEMENT À VOTRE PORTE

Collez le cœur sur la carte-réponse affranchie et postez-la-nous aujourd'hui; vous recevrez:

—**2 nouveaux romans Séduction**—**GRATUITS**
—**une trousse élégante de manucure**—**GRATUITE**
—**et une surprise-mystère en prime**—**GRATUITE**

Mais ce n'est pas tout. Vous profiterez aussi:

---

d'une Livraison Économique à domicile

En vous abonnant à Harlequin Séduction, vous lirez en avant-première, dans le confort de votre foyer et pour moins que leur prix en magasin, des romans qui font vivre l'émotion, l'amour et des aventures à l'étranger. Chaque mois nous livrerons, chez vous, 2 nouveaux romans. Si vous décidez de les garder, ils sont à vous pour seulement 3,24 $ chacun—0,26 $ chacun au-dessous du prix que vous payeriez en magasin—plus 0,49 $ de port par envoi.

---

des Bonis Extras—GRATUITS

Puisque nos abonnées sont nos lectrices les plus appréciées, pour vous en faire la preuve, nous vous ferons parvenir de temps en temps des cadeaux gratuits supplémentaires.

POUR TROUVER CHAQUE MOIS, DANS VOTRE BOÎTE AUX LETTRES, UNE MONDE D'AMOUR ET DE ROMANTISME, REMPLISSEZ, DÉTACHEZ, ET POSTEZ AUJOURD'HUI LE BON "OFFRE-GRATUITE"!

Vous allez adorer votre nouvelle trousse de manucure—
cet accessoire élégant et indispensable se range
facilement dans votre sac a main. L'aspect riche de
l'etui couleur bourgogne reflète parfaitement votre style
et votre bon gout—et il est votre gratuitement grâce à
cette offre!

N'oubliez pas! Afin de recevoir vos romans, votre trousse de manucure et votre cadeau-mystère gratuits, retournez le bon affranchi ci-dessous. Faites vite!

DÉTACHEZ ET ENVOYEZ LA CARTE AUJOURD'HUI.

Au cas où la carte-réponse a déjà été détachée, écrivez-nous au: Service des lectrices Harlequin, B.P. 609, Fort Erie, Ontario L2A 5X3

**Correspondance-
Réponse D'Affaires**

Se poste
sans timbre
au Canada

Le port sera payé par

Service des lectrices Harlequin
B.P. 609
Fort Erie, Ontario
L2A 9Z9

Canada Post
Postes Canada
125

l'idée de retrouver Brian. Pourquoi cet accès de timidité? Ils venaient pourtant de passer une agréable journée ensemble...

Que pouvait-il faire, chez elle, tout seul? A quoi songeait-il? A elle, à Karen? Non, pas à Karen, conclut-elle aussitôt en se jurant de ne plus se poser de questions à son sujet, pas ce soir en tout cas. Et qu'allait-il se passer quand elle aurait franchi le seuil? Allait-il la prendre tout de suite dans ses bras? Ils avaient parlé de dîner... S'attendait-il à ce qu'elle se mette tout de suite aux fourneaux? Ou bien devait-elle se jeter à son cou?...

Le cœur battant, Joséphine ouvrit la porte.

Venue de nulle part s'élevait la mélodie d'une chanson d'amour à la mode des années plus tôt, du temps de l'adolescence de Jo. La voix envoûtante de la chanteuse bouleversa tant la jeune femme qu'elle en resta pétrifiée, le visage illuminé d'un sourire rêveur.

Mais son sourire se figea à la vue de Brian. Debout au milieu du salon, il regardait dans le vide, tandis que les paroles de la chanson s'égrenaient, avec une nostalgie poignante :

« A certains l'amour vient comme un murmure
A d'autres comme un orage
Pour nous ce fut un rêve partagé... »

Jo analysa très vite la situation. L'espace d'un instant, Brian avait été plongé dans le passé. Il revoyait Karen.

Cette chanson diffusée à la radio, c'était la leur! La chanson de Brian et Karen... Il y avait huit ans de cela, elle était encore adolescente, alors que Brian échafaudait des projets d'avenir dans les bras de Karen...

Une douleur aiguë transperça le cœur de Joséphine. Etouffant un cri, elle tourna les talons pour s'enfuir. Mais à l'instant-même, le jeune homme sortit de sa méditation. En un éclair, il comprit la raison du désarroi de Joséphine.

Il la rattrapa sur le palier, en haut des marches, et la prit dans les bras, la serrant fort contre lui.

— Laisse-moi! cria-t-elle en le repoussant de toutes ses forces.

— Ecoute-moi!

Elle se débattit tant et si bien, qu'il fut obligé de relâcher son étreinte de peur de la blesser.

— Et si je n'ai pas envie de t'écouter! riposta-t-elle en tremblant.

Joséphine se mit lentement à reculer, pas à pas, sans le quitter des yeux. Ce fut au tour de Brian de pousser un cri d'orreur:

— Arrête!

D'un bond, il fut auprès d'elle, l'empêchant de basculer à la renverse dans l'escalier. Entraînés par le poids de leurs corps, ils furent violemment projetés contre le mur. Trop étourdis pour réagir immédiatement, ils restèrent ainsi enlacés quelques secondes avant que Brian ne se détache finalement d'elle.

— Tu n'as rien? s'enquit-il.

162

Jo reprenait tant bien que mal son souffle, à demi assommée par le coup qu'elle avait reçu sur la tête en heurtant le mur.

— Pourquoi as-tu…?

— Tu allais tomber, dit-il en se redressant tout à fait. Tu es sûre que tu n'as rien?

Les yeux hagards, Joséphine chuchota:

— Va-t'en, je t'en supplie… Je ne veux plus te voir, jamais! jamais!

— Je pars, si c'est vraiment ce que tu veux, Jo. Mais avant cela, je tiens à t'expliquer quelque chose.

— Et moi je ne tiens pas à entendre tes explications. Tu m'as menti. Rien de ce que tu pourras me raconter y changera quoi que ce soit.

— Comment? Je t'ai menti?

A bout, la jeune femme se mit à sangloter.

— Tu… tu m'avais affirmé que tu n'aimais plus Karen, non? balbutia-t-elle à travers ses pleurs.

Ah non, il fallait qu'elle comprenne!

— Mais je ne peux pas l'effacer de ma mémoire! Tu sais combien elle a été importante pour moi à une époque. Je ne te l'ai jamais caché. Nous avons vécu ensemble pendant un an et demi. Quoi que je fasse ou dise, il y aura toujours quelque chose à un moment ou à un autre, qui me la rappellera, comme certaines chansons, certains parfums, me rappellent d'autres événements de ma vie qui n'ont rien à voir avec Karen. Mais cela ne signifie pas pour autant que je l'aime encore! Que si vous étiez toutes les deux face à moi, je la choisirais elle et pas toi! Ne sois donc pas absurde, Jo!

163

Après ce long discours, le jeune homme s'arrêta. Puis il tendit la main vers elle.

Joséphine se déroba à sa caresse. Abattue, elle baissa la tête :

— Pourquoi te mens-tu à toi-même, Brian ? Je sais que je ne suis rien pour toi...

— C'est faux ! Comment te persuader ?

— Jamais je n'oublierai ton expression tout à l'heure quand tu écoutais cette chanson, continua Joséphine. Karen se dressera toujours entre nous...

— Seulement dans ton imagination.

— Peu importe. Chaque fois que tu me tiendras dans tes bras, je me demanderai si tu ne me prends pas pour elle. Je ne peux pas vivre ainsi, Brian.

— Quand je te tiens dans mes bras, c'est toi que j'embrasse et que j'aime, Jo... Toi seule...

Il tendit de nouveau la main vers elle, et cette fois, trop lasse pour le repousser, elle se laissa prendre par les épaules.

— Tu m'as menti, Brian...

Après un long silence, le jeune homme articula tout bas d'une voix infiniment triste :

— Je t'aime, Jo.

Mais Joséphine continua à se taire. Des larmes plein les yeux, elle écoutait les paroles douces-amères de la chanson d'amour, plus ancienne encore que celle de Brian et Karen, que diffusait sa radio à travers la porte ouverte de son appartement.

— Me dirais-tu que tu m'aimes si Karen était ici, avec nous ?

164

Brian ne put retenir un soupir d'exaspération. Joséphine était la plus belle et la plus désirable des femmes, mais aussi la plus têtue! Pourquoi ne parvenait-elle pas à comprendre que ses souvenirs de Karen ne l'empêchaient pas de l'aimer, elle, seulement elle?

— Tout cela est absurde, Jo, et tu le sais! C'est un jugement qui ne peut avoir lieu.

— Un jugement? Il ne s'agit pas de cela! J'en ai vu assez aujourd'hui en tout cas pour arrêter mon propre jugement!

Le jeune homme l'attira tendrement contre lui, comme pour la consoler.

— J'y compte bien, je ne voudrais pas que tu oublies quoi que ce soit de cette journée, pas le moindre détail... Nous avons été si heureux ensemble, ma chérie... Maintenant, quand nous entendrons de la guitare, nous nous rappellerons le petit patio de Denver et quand tu visiteras un musée, je serai toujours à tes côtés, en pensée... Tu m'aimes, Jo... j'en suis sûr, ne lutte pas contre cet amour. Crois-moi, il est partagé... Ne gâche pas notre chance de bonheur. Allons, un peu de courage...

— Je n'en ai plus du tout, gémit Joséphine en s'appuyant lourdement contre lui.

— Alors j'en aurai pour deux.

Lorsque Joséphine se rendit compte qu'il allait l'embrasser, elle voulut d'abord le repousser, mais une force supérieure à la sienne l'obligea à entrouvrir les lèvres. Jamais il ne s'était montré aussi tendre et sensuel dans ses caresses, d'une douceur qui lui arracha un gémissement de plaisir.

Quant à Brian, il dut faire appel à toute la force de sa volonté pour se détacher d'elle.

— Je t'accorde quelques jours pour réfléchir, déclara-t-il. Quelques jours...

— Attends, je vais prendre mon sac et je t'accompagne, répliqua-t-elle en se précipitant chez elle.

Le jeune homme ne put s'empêcher d'esquisser un sourire. C'était typique de Joséphine. Après tout ce qui s'était passé, elle allait tout de même le ramener à l'aéroport! Voilà bien ce qu'il admirait le plus chez elle, sa générosité sans arrière-pensée, son fair-play.

— Non, Jo, s'il te plaît! Ce n'est pas la peine de me conduire à Denver. Je vais me débrouiller.

Soulagée à l'idée de ne pas avoir à le déposer devant un hôtel, elle fit volte-face:

— Je... tu es sûr? bafouilla-t-elle.

Du bout des doigts, avec une tendresse infinie, il effleura sa joue encore humide de larmes.

— Certain, assura-t-il en lui souriant.

— J'espère que tout va s'arranger pour toi, Brian.

— Tout va s'arranger, il n'y a aucun doute là-dessus, crois-moi, chuchota-t-il presque en se penchant pour déposer un léger baiser sur ses lèvres. Grâce à toi, j'ai goûté au bonheur, je n'ai pas l'intention de le laisser s'échapper...

Sur ces paroles, le jeune homme tourna le dos à Joséphine et sortit sans se retourner.

166

Elle resta longtemps sur le palier, trop ébranlée pour rentrer chez elle. Et quand elle ferma la porte de son appartement derrière elle, Joséphine commença par éteindre la radio qui continuait à diffuser ses chansons « à remonter le temps ».

Sans la musique, comme son salon paraissait vide ! La solitude lui devenait tout à coup intolérable. Si seulement Amy était là ! songea-t-elle, au bord du désespoir.

Peu après, n'y tenant plus, elle sortit marcher. Elle erra longtemps au hasard des rues et ne rentra chez elle qu'au moment où les derniers feux du couchant enflammaient les cimes des Rocheuses. Joséphine se laissa tomber tout habillée sur son lit, et s'endormit aussitôt, laissant ses rêves l'emmener dans les contrées où son esprit refusait d'aller.

13.

Pour la première fois depuis l'ouverture du salon de thé, Joséphine fut en retard le lendemain matin. Sa marche de la veille à travers la ville l'avait tellement exténuée, qu'elle n'avait pas entendu son réveil. C'était Florence qui l'avait tirée du sommeil en lui téléphonant.

Lorsqu'elle arriva enfin à la boutique, la vieille dame l'accueillit avec une exclamation de surprise horrifiée :

— Mais vous avez une mine affreuse, mon petit !

Joséphine qui n'avait pas pour autant perdu son sens de l'humour, rétorqua sur le ton de la plaisanterie :

— Je n'ai pas pris le temps de me maquiller ce matin. Vous me voyez sous mon véritable jour, Florence, terrifiant, non ?

Mais la vieille dame ne daigna même pas sourire. Quand elle avait vu le magasin fermé, ce matin, elle avait été prise de panique à l'idée qu'il ait pu arriver malheur à Jo. Et à présent, en la voyant, elle n'était guère rassurée.

— Pourquoi ne pas fermer pour la journée? suggéra-t-elle. Venez chez moi, nous préparerons des biscuits au chocolat...

La gentillesse de Florence toucha profondément la jeune femme, mais elle choisissait mal son moment pour s'apitoyer sur son sort...

— Florence, je vous en prie, fit-elle d'une voix tremblante. Vous savez parfaitement que je ne peux pas me permettre de fermer pour une journée! Et puis tout le monde va se poser des questions...

— Les gens vont s'en poser bien davantage quand ils vont voir votre mine! déclara la vieille dame en prenant d'office les clés des mains de Joséphine.

Une fois à l'intérieur, Florence s'empara d'un bloc-notes et griffonna rapidement quelques mots. Quand Joséphine demanda à voir ce qu'elle avait écrit, elle lut avec étonnement:

« Partie en mini-vacances.

Revenez demain. »

— Je voulais voir quel prétexte vous invoquiez, ironisa la jeune femme en rendant le mot à son amie.

— Mon dieu, non! L'ennui avec vous, Jo, c'est que vous avez trop d'imagination!

— Vous trouvez?

— Bien, avez-vous encore quelque chose à faire ici? interrogea Florence.

170

— Non.

— Bon, alors, allons-y.

— Où cela ? s'enquit la jeune femme, dépassée par la tournure que prenaient les événements.

— Chez moi...

— Non, Florence, vous savez que je ne peux pas !

— J'oubliais ! Nous ne serons pas tranquilles cinq minutes. A croire que cette résidence pour gens âgés n'abrite que des concierges à la retraite !...

Joséphine ne put s'empêcher de sourire.

— ... Nous irons donc chez vous.

— Vous n'êtes pas obligée de vous donner tout ce mal, Florence. Tout ce qu'il me faut, c'est un peu de repos.

— Il n'est pas question que je vous laisse dans cet état. D'abord, il faut que vous mangiez un peu, je parie que vous n'avez rien avalé depuis vingt-quatre heures.

— Presque, admit Joséphine en se rappelant le repas du petit restaurant de Denver avec des larmes dans les yeux.

— Vous voyez, vous êtes sur le point de vous sentir mal. Allons, mon petit...

Joséphine acquiesça en silence. Elle avait en effet désespérément besoin que l'on soit aux petits soins pour elle.

Joséphine but une gorgée de sa deuxième tasse de café noir et repoussa son assiette vide avec un soupir de contentement :

— Vous aviez raison, Florence, je me sens déjà beaucoup mieux.

— Vous voyez. Maintenant, je vais vous laisser dormir.

— Non! s'exclama aussitôt la jeune femme, terrifiée à la perspective d'affronter de nouveau la solitude.

— Dans ce cas, énonça la vieille dame en croisant les bras sur la table, vous voulez peut-être me raconter ce qui est arrivé...

A ces mots, le cœur de Joséphine se serra. Elle n'avait pas la force de parler de Brian, pas encore. Bien qu'un jour Florence apprendrait inévitablement la vérité...

Comme si elle avait deviné le dilemme de sa jeune amie, Florence changea de sujet de conversation :

— Au fait, j'ai découvert quelque chose qui va vous intéresser. Il paraîtrait que Mabel n'était pas aussi riche à sa mort que nous le supposions tous.

Un instant décontenancée, Joséphine s'exclama :

— Comment! Que voulez-vous dire?

Ravie de son effet, Florence sourit :

— C'est une histoire compliquée. Vous savez que Howard est le comptable de notre association, le Club des Aînés. L'autre soir, en examinant les comptes, il me fit part de son inquiétude concernant l'état de nos finances. Et savez-vous ce qu'il m'a appris? Que la donation de Mabel se montait à peine à trois cents dollars!

— Trois cents dollars! s'exclama Joséphine, stupéfaite.

— Oui, j'ai eu la même réaction que vous. Je me suis demandé où était passée la fortune que lui avait léguée son mari. Sans parler de la vente de la maison et des magnifiques antiquités… Non, la fortune de Mabel devait se monter au moins à trois cent *mille* dollars !

— Il va falloir vérifier, remarqua Joséphine, encore sous le choc.

— C'est déjà fait. Howard a téléphoné au notaire de Mabel qui a confirmé.

— Mais qu'est devenue toute cette fortune dans ce cas ? Elle n'a pas pu se volatiliser tout de même !

— C'est la question que je me pose. J'ai envisagé toutes les solutions, mais en vain. J'étais sa meilleure amie, si elle avait joué, par exemple, je l'aurais remarqué, sûrement. Je n'imagine pas Mabel partant pour des virées secrètes à Las Vegas !

— Non, en effet, admit Joséphine en souriant à la pensée de la vieille dame devant une machine à sous. Mais quoi alors ? Je ne vois vraiment pas…

La jeune femme laissa sa phrase en suspens. Il lui semblait que la solution de ce mystère était à portée de main. Des paroles prononcées par Brian, insignifiantes sur le moment…

— Nous avons même pensé que Mabel avait peut-être utilisé tout cet argent pour rechercher Brian.

La jeune femme secoua énergiquement la tête :

— Non, Mabel ne m'a jamais donné l'impression qu'elle voulait revoir son fils.

— Vous semblez oublier que vous n'avez connu

Mabel que très tard, alors que Brian était parti depuis longtemps déjà. Les premières années, elle avait l'air de l'attendre d'un moment à l'autre.

— Entendu, c'est une éventualité. Je sais que les détectives privés coûtent cher, mais à ce point!...

— Assez cher pour liquider la fortune de Mabel, vous voulez dire? Non, sincèrement, cela ne paraît pas possible.

— Sa fortune n'était peut-être pas si considérable que cela, en fin de compte, suggéra Joséphine.

— Je sais exactement ce que James lui avait laissé, croyez-moi, Jo, Mabel était loin d'être pauvre. Ce détective aurait dû être un formidable escroc pour lui soutirer tous ces dollars. Car Mabel n'était pas naïve comme vous...

Mais Joséphine n'écoutait plus que d'une oreille. Plongée dans ses réflexions, elle interrogea soudain:

— A quelle époque Mabel a-t-elle vendu la maison?

— Je ne sais plus... quelques mois, six mois après le départ définitif de Brian.

Joséphine fronça les sourcils. Si Mabel s'était attendue au retour imminent de son fils comme le prétendait Florence, elle ne se serait certainement pas séparée du bien qui était dans la famille Tyler depuis si longtemps. Mabel n'aurait pas vendu... à moins que...

— Avait-elle des ennuis de santé?

— Mabel! Vous voulez rire! Elle était solide

174

comme un roc. Jamais le moindre rhume! Pourquoi?

— Oh, juste une idée. L'hôpital coûte si cher...

Avec un haussement d'épaules, Joséphine se leva pour se resservir une troisième tasse de café. Si seulement elle parvenait à se rappeler la petite phrase de Brian... Mais elle avait beau se remémorer des bribes de leurs conversations, rien ne lui revenait.

— Howard va questionner un de ses amis qui travaille dans l'immobilier. Il pourra nous dire le prix auquel Mabel a vendu la maison, continua Florence.

— Si cela ne vous dérange pas, je préférerais parler de Howard et de vous, murmura la jeune femme.

Contre toute attente, la vieille dame resta étrangement silencieuse.

— Florence! qu'y a-t-il? s'écria Joséphine alarmée par la pâleur soudaine de son amie.

— Je... Jo, je ne me suis jamais confiée à qui que ce soit, mais à vous, je peux l'avouer. Howard et moi, nous nous sommes engagés dans une aventure qui nous a menés plus loin que nous ne le voulions au départ.

La jeune femme la considéra bouche bée.

— Que... Comment? Howard et vous...

A sa grande surprise, elle vit les joues de la vieille dame se colorer tandis qu'elle détournait le regard.

— Florence! Mais c'est magnifique! Howard est un homme merveilleux. Vous formez un couple fantastique!

— Un couple non marié, lui rappela Florence.

— Si cela vous gêne tant, pourquoi ne vous mariez-vous pas?

— C'est impossible.

— Mais vous êtes veufs tous les deux, non?

— Oui, mais c'est à cause d'une sordide question d'argent... Si nous nous marions, je perds ma pension, et Howard n'est pas suffisamment riche pour nous entretenir tous les deux.

— Dans ce cas, au diable le mariage, vivez maritalement!

Un faible sourire anima les traits de la vieille dame.

— C'est facile pour votre génération, ma chère Jo. Mais nous appartenons à une autre époque, à une époque où le mariage était sacré. Et nous devons penser à notre réputation pour nos enfants, nos petits-enfants...

— Je parie que si vous le leur demandiez, ils seraient d'accord.

— Je n'en suis pas si sûre, Jo. Ils sont peut-être très libres eux-mêmes, mais en ce qui concerne leurs parents et grands-parents, ils n'emploient pas les mêmes critères. Ils sont si sévères avec nous...

— Ils seraient peut-être un peu choqués au début, mais ils finiraient bien par accepter? De toute façon, ils ne pourraient rien contre vous...

— Ils peuvent ne plus venir nous voir, ne plus nous laisser voir nos petits-enfants, répliqua la vieille dame d'une voix tremblante d'émotion.

— Mais... mais c'est monstrueux! s'écria la

176

jeune femme, outrée. Florence avez-vous au moins essayé d'aborder le sujet avec eux?

— Evidemment, et Howard de son côté aussi. Ils acceptent à la rigueur que nous entretenions une « amitié particulière » mais ne voient vraiment pas pourquoi nous désirons vivre ensemble, sous le même toit...

— Pourquoi? Ils sont bien mariés, eux?

— Oui, mais eux ils sont jeunes et nous...

— Et les personnes âgées ne sont plus censées avoir de sentiments peut-être? la coupa Joséphine, de plus en plus outrée. Eux aussi ont un avenir, un bonheur à maintenir ou à construire...

Florence posa sa main sur l'épaule de la jeune femme.

— C'est pour cela que nous tenons tant à vous, Jo, c'est parce que vous nous comprenez. Toujours est-il que nous ne pouvons continuer ainsi, Howard et moi. Personne à la résidence n'est au courant de notre liaison, mais la clandestinité nous pèse terriblement. Et puis nous avons tout le temps peur d'être surpris...

— Alors?

— Alors nous envisageons la rupture.

— Vous renonceriez l'un à l'autre par peur du qu'en-dira-t-on?

— Je vous en prie, essayez de vous mettre à notre place, Jo. Nous voudrions tant que tout s'arrange, mais la situation est sans issue.

Ce fut au tour de Florence d'étouffer ses sanglots dans un grand mouchoir en batiste blanc qu'elle avait sorti de sa manche. Joséphine la prit tendrement dans ses bras.

— Quand je pense que j'étais venue ici pour vous consoler, et voilà que c'est vous... hoqueta la vieille dame.

— Allons, allons, venez vous asseoir au salon.

Tandis qu'elle s'installait sur le canapé fleuri, Florence s'enquit d'une voix étouffée.

— Que s'est-il passé entre vous et Brian pour vous mettre dans un tel état?

— Comment... comment avez-vous deviné?

Un sourire éclaira le regard de la vieille dame:

— Vous ne vous rendez pas compte à quel point vous êtes transparente, mon petit. Tout se lit sur votre visage.

Sans une seconde d'hésitation, Joséphine lui raconta comment elle était tombée amoureuse de Brian tout en sachant qu'elle avait une rivale.

— Vous voyez, rien de plus classique, le triangle amoureux, conclut-elle. Brian, moi... et Karen.

— Karen étant à vous entendre la plus importante des trois, observa Florence d'un ton de reproche. Vous ne vous attendiez tout de même pas à ce qu'il l'oublie parce qu'il vous a rencontrée?

— Je ne m'attendais à rien du tout, protesta la jeune femme. Je ne m'attendais pas non plus à tomber amoureuse de lui. J'ai tout simplement été stupide.

— Non, pas stupide...

— Mais je ne peux pas lutter contre un fantôme, voyons!

178

— Brian a-t-il sérieusement essayé de retrouver Karen?

Joséphine, au comble de l'agitation ne l'entendit même pas.

— Je donnerais tout au monde pour savoir où elle est. Comme cela il y aurait au moins une fin à cette histoire!

La jeune femme avait prononcé ces paroles à voix haute. C'était la première fois qu'elle envisageait une telle confrontation.

— Jo?

— Oui?

— Je répète: Brian a-t-il sérieusement essayé de retrouver Karen?

— Excusez-moi, j'avais l'esprit ailleurs. Oui, il a passé un an à la chercher. Il a engagé des détectives privés. Les recherches n'ont rien donné.

— Peut-être est-il temps que quelqu'un d'autre reprenne l'enquête?

— Quelqu'un d'autre? Vous voulez dire moi?

— Vous avez bien retrouvé Brian.

— Par chance.

— Ne vous sous-estimez pas, Jo. Qu'avez-vous à perdre, de toute manière? Au contraire, vous avez tout à gagner.

— Mais je ne saurais même pas où commencer!

Néamoins elle réfléchissait déjà. Elle pourrait profiter de l'invitation à dîner d'Alex Reid... L'inspecteur de police lui serait de bon conseil. Pourrait-il refuser de rendre service à une amie d'enfance? Sûrement pas!... Et puis il y avait Carl Vizenor, le plus vieil ami de Brian. Même si Carl n'avait jamais rencontré Karen, il la connaissait à travers Brian… Joséphine se sentait tout à coup pleine d'optimisme.

— Il faut commencer par le début, évidemment, déclara Florence. Par exemple, que savez-vous exactement des circonstances de sa disparition?

Joséphine repensa aux confidences de Brian mais cette fois, le souvenir de ces conversations ne lui fit pas mal. Elle y lisait au contraire un message d'espoir.

Et soudain, les paroles qu'elle cherchait en vain depuis tout à l'heure, lui revinrent à l'esprit. Il s'agissait du détective qui avait été vu chez Karen. Apparemment, il avait été envoyé par Mabel pour la convaincre de quitter Brian. C'était pour cette raison que la brouille entre Brian et Mabel ne s'était jamais arrangée, parce que le fils n'avait jamais pu pardonner à sa mère.

— Mabel a bien vendu sa maison quelques mois après le départ de Brian?

— Oui, confirma Florence en dévisageant la jeune femme. Pourquoi?

— Je n'en suis pas encore certaine. Où Mabel avait-elle son compte?

— A la *Merchant's Bank of Eastern Colorado,* répondit la vieille dame.

— Quelle agence?

— Celle du centre-ville.

— Connaissez-vous quelqu'un qui y travaille? Quelqu'un qui serait prêt à vous rendre un service? interrogea la jeune femme.

180

— Je... c'est possible. Mais d'abord, dites-moi ce que vous avez derrière la tête.

Joséphine considéra Florence d'un air hésitant. Qu'allait-elle penser de ses soupçons ?

— Mabel aurait engagé un détective pour enquêter sur Karen. Du moins je suppose qu'il a dû prendre des renseignements sur elle avant de la contacter. Brian l'avait découvert et c'est pour cela qu'il n'a jamais pu pardonner à Mabel. Surtout que ce détective a été aperçu dans leur appartement la veille de la disparition de Karen...

Joséphine se pencha légèrement en avant pour poursuivre d'une voix de conspiratrice :

— ... Parce que tout le monde s'accordait pour couvrir Karen de louanges, jusqu'ici, je n'ai pas douté un seul instant qu'elle avait quitté Brian pour son bien... Mais si Karen n'était pas si désintéressée que cela ?... Si elle était partie avec l'argent de Mabel ?

14.

Bouche bée, Florence considéra un long moment la jeune femme avant de hocher la tête :

— Savez-vous que vous avez probablement raison ?

— Mais je ne possède aucune preuve, énonça Joséphine en fronçant les sourcils.

— Quelles questions voulez-vous que je pose à mon ami le banquier ?

— Comment Mabel a-t-elle employé l'argent de la vente de la maison ?

— Je ne vois pas où vous voulez en venir, Jo.

— Mabel n'a pas gardé l'argent, puisqu'elle est morte sans le sou... Pourtant le chèque a dû être libellé à son nom et elle a dû l'encaisser.

— Je vous suis, fit Florence en penchant légèrement la tête de côté.

— Croyez-vous que votre ami acceptera de nous renseigner ?

— Je ne peux pas vous le certifier à l'avance, il faut lui demander, déclara Florence en se levant. Je vais vous quitter maintenant, Jo, si vous avez besoin de moi, je suis à la maison.

— Vous n'allez pas à la banque ? questionna Joséphine, déçue.

— Non, mon petit, je vais préparer des biscuits au chocolat.

La jeune femme ne put s'empêcher de rire.

— Décidément, c'est une idée fixe !

— Non, je ne suis pas gâteuse, ma chère Jo, mais mon ami banquier est très gourmand et il n'a jamais su résister à mes biscuits au chocolat. Ah, c'est un personnage ce Bob Hollister !

— Quoi ! Le directeur général de la banque !

Une lueur de triomphe traversa les yeux de la vieille dame.

— Vous devez savoir, Jo, qu'il vaut mieux s'adresser à Dieu qu'à ses saints.

A ces mots, la jeune femme bondit sur ses pieds pour embrasser son amie sur les deux joues puis elle ramassa sa sacoche.

— Je vous raccompagne chez vous en voiture ! Je ne veux pas que vous perdiez une minute de votre temps, vous devriez déjà être à vos fourneaux !

Après avoir déposé Florence devant l'entrée de la résidence, Joséphine rentra chez elle et téléphona immédiatement à Alex Reid.

— Si j'ai bonne mémoire, la dernière fois que nous nous sommes vus, tu m'as promis un dîner en famille… commença-t-elle d'emblée.

184

— Si ce n'est pas Josie Williams! s'exclama en riant le policier.

Encore cet affreux surnom! Mais aujourd'hui, elle n'avait pas le temps de le sermonner.

— Je ne me suis pas trompée, n'est-ce pas? lança-t-elle en riant à son tour.

— Non, mais que me vaut l'honneur de ta visite? s'enquit-il, soupçonneux.

— J'ai besoin de ton aide... de nouveau, énonça-t-elle sans plus d'explication.

— Toujours au sujet de Brian Tyler?

— Tu n'oublies jamais rien! le taquina-t-elle. Non je l'ai retrouvé, figure-toi.

— Vraiment?

— Oui, pourquoi?

— Honnêtement, je ne pensais pas que tu avais plus de chance de le trouver qu'une aiguille...

— Dans une meule de foin? termina la jeune femme.

— Exactement. Je te félicite, ce n'était pas facile.

— Merci, mais il ne s'agit plus de Brian, ou plutôt plus directement. Si tu avais un peu de temps à me consacrer, je te serais infiniment reconnaissante. De toute façon, il est temps que je rencontre ta famille!

— Tu as une drôle de conception de la diplomatie, Josie.

— Dois-je comprendre que c'est oui?

— Veux-tu venir dîner avec nous samedi?

— Si je peux apporter quelque chose...

— Du vin, beaucoup de vin. J'ai comme l'impression que je vais en avoir drôlement besoin ! Maintenant, ma chère Josie, il faut que je te quitte… Je suis *très* occupé…

— Alex ?

— Oui.

— Je suis enchantée de venir chez toi, mais il faut que tu me donnes ton adresse…

Après avoir éclaté de rire, Alex lui indiqua en détail comment arriver chez lui. Il lui offrait même de lui envoyer un plan par la poste, qu'elle reçut d'ailleurs deux jours plus tard !

Le reste de la semaine traîna lamentablement en longueur. Les biscuits au chocolat de Florence n'avaient pas produit l'effet escompté, le banquier s'était contenté de déclarer qu'il « verrait ce qu'il pouvait faire » au sujet du compte en banque de Mabel.

Vendredi arriva sans autres nouvelles. Joséphine fermait le salon de thé quand elle aperçut Howard et Florence qui traversaient la rue. Elle se précipita à leur rencontre et s'enquit :

— Alors, il a téléphoné ? Donnez-moi vite des indices, cette attente me tue !

— Oui, répondit Florence, mais vous n'allez pas être contente.

Joséphine sentit sa gorge se nouer.

— Bob Hollister refuse de nous aider, déclara-t-elle d'une voix à peine audible qui masquait mal sa déception. C'est cela, n'est-ce pas ?

186

— Ne soyez pas si triste, ce n'est pas bien grave... seulement Bob a été trop débordé cette semaine pour s'occuper de notre problème.

Avec un soupir de soulagement, Joséphine mit sa main sur son cœur :

— Mon dieu, vous m'avez fait peur !

— Pourquoi vous torturez-vous ainsi, Jo ? Si Bob ne peut rien pour nous, nous nous tournerons ailleurs. D'une façon ou d'une autre, nous découvrirons à quoi Mabel a dépensé sa fortune... Au fait, quand allez-vous dîner avec votre ami le policier ? C'est bien demain soir.

— Demain soir, oui.

— Alors nous allons pouvoir vous remplacer dans l'après-midi, proposa Howard.

Joséphine lui jeta un coup d'œil surpris.

— Vous êtes gentil, Howard, mais ce n'est pas la peine. Je ferme assez tôt et...

Mais voyant la déception se peindre sur le visage du vieux monsieur, elle termina en souriant :

— Entendu, je vous laisse les clés du magasin dès deux heures. Mais j'insiste pour vous offrir un festin dimanche soir.

— J'ai une meilleure idée, annonça Florence. Au lieu de nos éternelles pâtes, pourquoi n'irions-nous pas pique-niquer tous les trois à Central City ?

— Je croyais que tu détestais les endroits touristiques, observa Howard.

La vieille dame adressa un clin d'œil complice à Joséphine.

— A mon avis, Florence n'a pas l'intention de beaucoup s'attarder à Central City.

— Je suis perdu ! avoua Howard en levant les bras au ciel.

— Je te mettrai au courant tout à l'heure, lui glissa Florence à l'oreille en prenant son ami par le bras.

Joséphine les regarda s'éloigner, le sourire aux lèvres. Quelles charmantes personnes, et si pleines de vitalité ! Quelle tristesse qu'ils ne puissent pas se marier. Ils méritaient d'être heureux.

Le lendemain après-midi, Joséphine se trouvait dans l'arrière-boutique occupée à tout préparer pour Howard et Florence, quand retentit le carillon de la porte d'entrée.

— J'arrive ! cria-t-elle.

Un sourire aux lèvres, elle s'apprêtait à accueillir ses amis, lorsqu'elle s'immobilisa, comme frappée par la foudre.

— Je passais dans le quartier, et je me suis dit que je te trouverais sans doute ici à cette heure, lança Brian d'un ton désinvolte.

Vêtu d'un pantalon en flanelle grise et d'une chemise rayée bleue dont il avait roulé les manches sur ses bras musclés, il était si séduisant que la tête de la jeune femme lui tourna.

— Que fais-tu ici ?

— J'aurais dû téléphoner avant, n'est-ce pas ? reprit-il avec une grimace.

— Je croyais que nous avions décidé de ne plus nous revoir pendant un certain temps.

— Nous ? tu veux dire, toi !... Je n'ai jamais prétendu être d'accord.

188

— Mais... mais je n'ai pas changé d'avis, bredouilla-t-elle.

— Tu es drôlement têtue, n'est-ce pas?

La jeune femme haussa les épaules, agacée. Comment osait-il venir lui reprocher quoi que ce soit après ce qui s'était passé? Quel malin plaisir prenait-il à la voir souffrir?

Tout en se rapprochant imperceptiblement d'elle, Brian poursuivit d'un ton adouci:

— J'espérais passer la journée avec toi, t'aider à recevoir tes clients, mais je vois que je me suis trompé.

Joséphine le dévisagea intensément, comme si elle cherchait à lire dans ses pensées.

— Qu'est-ce qui a bien pu te faire un instant supposer que j'avais besoin de ton aide?

— Je voulais simplement être auprès de toi, Jo, répondit-il. Je tiens beaucoup à toi, je n'ai pas envie que tu m'échappes. Tu es ce qu'il m'est arrivé de mieux depuis huit ans...

A ces mots, la jeune femme devint blême. Pourquoi avait-il prononcé cette phrase? Autant lui avouer sans détour qu'il était encore amoureux de Karen! Elle était ulcérée.

— Si seulement tu te rendais compte de ta cruauté, Brian! lui jeta-t-elle, les larmes aux yeux.

Le jeune homme se maudit intérieurement de sa maladresse.

— J'ai eu tort de venir, murmura-t-il, mais maintenant que je suis ici, je suis déterminé à y passer la nuit s'il le faut, mais je te convaincrai!

— Brian, c'est impossible, je ne suis pas là ce soir, je sors...

— Je vois, souffla-t-il en luttant de toutes ses forces contre l'envie de la prendre dans ses bras, de la retenir... Dans ce cas, je peux attendre. A quelle heure comptes-tu rentrer ?

— Non, ne m'attends pas, je t'en supplie. Je ne sais pas quand je serai de retour... tard, très tard, sans doute.

D'un geste brusque, il s'empara de sa main. Elle était sur le point de le repousser, quand le carillon de la porte les fit tous deux sursauter.

— Howard ! Florence ! s'écria Joséphine en se dégageant de l'étreinte de Brian. Je ne m'attendais plus à vous voir ! Je craignais même que vous n'ayez changé d'avis...

Les nouveaux venus eurent du mal à cacher leur surprise. En fait, ils étaient plutôt en avance qu'en retard. Mais en voyant Brian, ils comprirent la raison de cet accueil.

— Brian quelle joie de vous voir ! s'exclama la vieille dame en s'avançant vers le jeune homme, la main tendue. Vous êtes venu nous rendre une petite visite...

— Bonjour, Florence... Howard, les salua Brian d'un signe de tête.

— Mais nous vous dérangeons, intervint pour la première fois le vieux monsieur. Viens, Flo, nous reviendrons plus tard.

— Non, non s'exclama Joséphine. Brian partait justement.

Brian se tourna vivement vers la jeune femme. Sa perplexité avait cédé la place à la certitude. Jo était trop désireuse de se débarrasser de lui. Et il savait que ce n'« était pas parce qu'il lui déplaisait, pas non plus parce qu'il la laissait indifférente. Ne restait qu'une seule réponse : elle l'aimait ! Elle partageait ses sentiments ! Même si elle sortait ce soir avec quelqu'un d'autre, elle penserait à lui tout le temps...

— Si je me souviens bien, rétorqua-t-il avec un temps de retard, c'est vous qui étiez sur le point de partir, Jo. Moi j'ai tout le temps du monde devant moi, mon avion ne décolle pas avant ce soir... Florence, Howard, si vous le permettez, je vais rester ici vous tenir compagnie. Et à moins que vous n'ayez d'autres projets, je vous invite à dîner...

Puis s'adressant à Joséphine :

— ... Vous, vous devriez déjà être partie. Vous allez être en retard à votre rendez-vous.

Joséphine consulta l'horloge murale d'un rapide coup d'œil. Elle avait amplement le temps de se préparer et le trajet jusqu'à Denver prenait à peine trois quarts d'heure. Mais elle n'osait l'avouer, après avoir presque mis le jeune homme à la porte.

— Vous allez vous débrouiller, Florence ? Vous en êtes sûre ?

La vieille dame adressa à sa jeune amie un sourire entendu. Mais en son for intérieur, elle tremblait pour Jo. Si jamais elle parvenait à retrouver Karen, que se passerait-il ? Brian allait-il découvrir qu'il n'avait jamais cessé de l'aimer ?

191

— Partez tranquille, mon petit, dit-elle tout haut. Et amuse-toi bien !

— Amuse-toi bien, Jo, répéta Brian comme un écho.

La jeune femme lui jeta un regard furibond :

— Je n'y manquerai pas !

Une odeur de barbecue chatouilla agréablement les narines de Joséphine alors qu'elle grimpait les marches du perron d'Alex Reid. Posés contre le mur à côté de la porte, une batte de base-ball et un tricycle témoignaient de la présence de deux jeunes enfants. Qui devaient sans doute être les auteurs des dessins collés aux vitres de la maison.

Elle n'avait pas encore frappé, que la porte s'ouvrit sur une grande femme brune aux cheveux mi-longs et au sourire amical. A en juger par son ventre rebondi, elle était manifestement enceinte d'un troisième enfant.

— Vous devez être Josie Williams ! s'exclama-t-elle en tendant la main à Jo. Pour une fois que la description d'Alex correspond à la réalité ! Dire qu'il est policier... Mais je ne me suis pas présentée, je suis Barbara, enchaîna-t-elle en riant.

Sans corriger l'épouse d'Alex au sujet de son diminutif, Joséphine lui tendit la bouteille de vin blanc qu'elle avait apportée.

— J'espère que vous ne me trouvez pas horriblement mal élevée de m'être invitée à dîner, fit-elle en rendant son sourire à Barbara.

— Cela fait des semaines que je demande à Alex

192

dé vous inviter. Savez-vous que je n'avais pas encore rencontré un seul membre de votre famille alors que mon mari ne cesse de parler de vous !

— J'espère que je ne vous décevrai pas. Je frémis en songeant à ce qu'il a pu vous dire !

— Mais entrez, je vous en prie, Josie... Alex nous attend dans le jardin. Il vient d'allumer le barbecue.

Le dîner, qu'ils prirent dehors, était simple, mais succulent. Une salade mixte pour commencer, suivie d'une grillade de bœuf et de pommes de terre sur le grill. Pour le dessert, ils se régalèrent d'un flan aux cerises préparé par Barbara. C'était le dessert préféré de Jo quand elle était petite et elle fut tout émue qu'Alex se souvienne d'un tel détail.

Après le repas, Barbara s'excusa et monta coucher les enfants, laissant Alex et Joséphine en tête-à-tête.

— Je ne comprends pas pourquoi tu n'as jamais présenté ta femme à Mike et à sa famille. Barbara s'entendrait très bien avec Kathie et vos enfants sont à peu près du même âge...

— Tu as fini de me sermonner ? lança Alex en la considérant d'un air malicieux.

Joséphine haussa les épaules.

— Je suppose que je me mêle de ce qui ne me regarde pas ?

— Tu as raison. Josie. Nous projetons d'ailleurs de nous réunir le mois prochain. Nous allons passer une semaine à San Francisco avec ton frère. Et cet hiver, ils viendront faire du ski ici.

— C'est incroyable! s'exclama la jeune femme. Il y a des années que j'essaye de persuader Mike de venir me voir! Et toi, il suffit d'un coup de téléphone...

— Mike m'avait prévenu que tu risquais d'être jalouse.

— Je connais un moyen pour te racheter, Alex.

— Ah, je m'y attendais! fit-il en riant. Tu es tenace dans ton genre, sais-tu, Josie? Je me souviens de cet été où tu avais un faible pour moi...

La jeune femme prit une expression outrée, pourtant il avait tout à fait raison, elle avait été amoureuse d'Alex à l'âge de quatorze ans. Mais même aujourd'hui, elle répugnait à l'admettre, comme si la pudeur de l'adolescence l'avait suivie dans l'âge adulte.

— Comment as-tu pu imaginer une chose pareille?

— Ton journal intime t'a trahie.

— Quoi! mon journal! Tu as osé!

— Pas moi. Mike. C'est lui qui m'a tout raconté.

En dépit de toutes les années écoulées, Joséphine devint écarlate.

— Quel chameau! Je lui dirai deux mots à ce faux frère!

— Mike est curieux comme tout le monde. Il ne fallait pas laisser traîner ton journal, ma chère. De toute façon, Mike ne s'est pas du tout moqué de toi, au contraire, il était très préoccupé à la perspective que je puisse te faire du mal, c'est pour cela qu'il m'a prévenu.

194

N'empêche, elle en parlerait à Mike...

— Je suis venue te demander de m'aider à retrouver quelqu'un.

— Brian Tyler? Mais je pensais que tu l'avais trouvé...

— Exact mais il s'agit de quelqu'un d'autre maintenant...

Elle lui narra l'histoire depuis le début, la brouille de Brian et Mabel, la disparition de Karen, l'homme suspect que l'on avait aperçu chez elle, le mystère de la fortune de Mabel... Elle avait pourtant tu le principal : son amour pour Brian qui la poussait à retrouver Karen.

— Si je te suis bien, observa le policier quand elle eut terminé. Tu soupçonnes Karen d'avoir accepté le marché de Mabel : sa fortune contre son fils?

— Tu as l'art de la synthèse, Alex! Oui, c'est cela.

— C'est mon métier, prononça pensivement Alex qui réfléchissait au problème. Et c'est parce qu'elle était devenue si riche, que ton Brian Tyler n'a jamais pu retrouver Karen...

— Les détectives avaient sans doute l'ordre de rechercher quelqu'un de pauvre. Karen a dû changer de vie avec tout cet argent.

— En effet, mais en quoi puis-je exactement t'être utile, Josie?

— Tu peux me guider dans mes recherches.

— Tout d'abord, je voudrais savoir pourquoi tu t'intéresses tant à ces gens.

195

Il la mettait au pied du mur. Mais Joséphine hésitait à tout lui confier. Elle craignait qu'il refuse de l'aider s'il apprenait la vérité. N'avait-elle pas toutes les chances de se blesser?

— Bien, ce n'est pas la peine de me répondre. C'est écrit sur ta figure, reprit Alex d'un ton désapprobateur. Enfin, j'espère que tu sais ce que tu fais.

— Je n'ai pas le choix, murmura-t-elle presque avec un sourire d'excuse. Je ne peux pas passer ma vie à me demander si je ne suis pas une remplaçante, un pis-aller.

— Tu es bien certaine que le jeu en vaut la chandelle?

— Sinon je ne serais pas ici, rétorqua-t-elle.

D'un geste impatient, le policier se leva et disparut à l'intérieur de la maison. Il revint une minute plus tard avec un bloc-notes qu'il tendit à la jeune femme.

— Tiens, au travail, ma belle! Pour commencer, il faut retrouver le détective engagé par Mabel.

— Ne vaut-il pas mieux attendre la réponse du banquier?

— Je croyais que tu étais venue me demander conseil? Bien, si ce détective est du genre bavard, il peut se révéler comme une mine d'informations.

— Entendu, et ensuite?

— Simultanément, tu vas rassembler le plus de renseignements possibles sur cette Karen. Ses goûts, ses habitudes, ses rêves, ses frustrations. Quelle éducation elle souhaitait donner à sa fille, ses aspirations sociales et professionnelles, bref,

196

tout ce qui nous permettrait de savoir ce qu'elle pouvait faire avec trois cent mille dollars en poche !... Je suppose que tu ne peux pas mettre la main sur les rapports des détectives de Brian ?

— Pas sans lui parler de mon enquête.

— Pourquoi pas ?

— Parce qu'il ne comprendrait jamais.

Après une pause, Alex interrogea :

— Ou parce que tu préfères te réserver la possibilité de ne pas lui dire que tu as retrouvé Karen ?

Joséphine le considéra, un instant décontenancée. Elle n'avait pas encore songé au problème sous cet angle-là !

— J'ai de bonnes raisons de ne pas vouloir impliquer Brian dans cette affaire.

— Cela ne va pas nous faciliter la vie... Sais-tu quelque chose des parents de Karen ?

— D'après Brian, ils sont morts dans un accident, quand elle était encore au lycée.

— Sa famille ?

— Aucune. Toujours d'après Brian, c'est une des raisons pour lesquelles elle tenait tellement à lui.

— Pas autant qu'il ne l'aurait souhaité, fit remarquer Alex avec une moue sardonique.

— Tu es donc de mon avis en ce qui concerne l'argent de Mabel ?

— J'en mangerais mon insigne de policier...

— Je n'en exige pas tant. Mais ce qui me préoccupe, c'est que Karen ne correspond pas au profil classique de l'aventurière. Si elle était assoiffée de richesse, pourquoi choisir Brian qui n'avait pas le sou? Elle ne pouvait pas deviner que Mabel lui offrirait un pont d'or pour le quitter.

— Elle n'a probablement pas su résister à la tentation. Bon, fit-il en jetant un coup d'œil aux notes qu'elle avait prises, cela suffit pour aujourd'hui. Plus tard, quand tu auras assez de renseignements sur Karen, nous songerons à les utiliser...

— Nous? Cela signifie-t-il que...

— Tu sais parfaitement ce que cela signifie, la gronda-t-il gentiment. Allons retrouver Barbara maintenant.

— Alex...

— Oui, Josie?

— Je te pardonne pour Tony Erickson, je te pardonne d'avoir été au courant de ce que j'écrivais dans mon journal et enfin, je te pardonne de m'appeler Josie!

Alex renversa la tête en arrière et éclata d'un rire si sonore que sa femme intriguée sortit en courant de la maison.

15.

Joséphine hésita sur le seuil de la boutique de Carl Vizenor. Les yeux fixés sur l'étalage multicolore de friandises, elle se demandait si elle allait oser interroger le plus vieil ami de Brian : les questions qu'elle avait en tête étaient d'ordre si intimes qu'il pouvait parfaitement lui claquer la porte au nez !

A cette pensée, la jeune femme fut sur le point de rebrousser chemin et de courir retrouver Howard et Florence. Evidemment, elle ne savait pas où ils étaient, ils lui avaient simplement dit qu'ils allaient visiter Central City. Un rendez-vous avait été fixé dans une heure.

Une heure... Sur le moment, cela lui avait paru une éternité, mais à présent, il lui semblait qu'elle avait à peine le temps. Allons, assez hésité ! se dit-elle en poussant la porte.

Le tintement de la clochette fit se retourner Carl, debout derrière le grand comptoir en bois.

— Jo ! s'exclama le colosse avec un large sourire.

Flattée d'avoir été reconnue, Joséphine lui rendit son sourire. Puis Carl s'aperçut qu'elle était seule et son visage s'assombrit.

— Où est Brian ? s'enquit-il.

— Chez lui, à Casper, informa Joséphine en tremblant légèrement.

D'une voix adoucie, il reprit :

— C'est gentil de passer me voir, Jo. Nous sommes toujours heureux de recevoir les amis de nos amis. Je vais tout de suite téléphoner à Susan pour qu'elle mette un couvert de plus...

— Merci, Carl, mais je ne peux pas rester déjeuner avec vous. Je regrette. Une autre fois. Je suis seulement venue vous poser quelques questions...

— Des questions ? répéta-t-il en fronçant les sourcils. A quel sujet ?... Brian ?

— Pas directement, il s'agit de Karen.

Après l'avoir considérée un instant en silence, Carl lui fit signe de l'attendre et disparut dans l'arrière-boutique. Une minute plus tard, il revenait suivi d'une femme au chignon gris qui prit sa place à la caisse.

— Allons prendre un café en face, dit-il en lui ouvrant la porte. Nous serons plus tranquilles pour bavarder.

Il s'exprimait sans hostilité mais sans affabilité, non plus, constata la jeune femme, de plus en plus

200

mal à l'aise. Malheureusement elle n'avait pas le choix : Carl était la seule personne susceptible de la renseigner sur Karen.

Le petit restaurant où il l'emmena paraissait sorti tout droit d'une autre époque. Un long bar en bois sombre derrière lequel officiait un barman en tablier blanc occupé à essuyer des verres à l'aide d'un torchon ; des tables recouvertes de nappes à petits carreaux rouges et blancs ; et au mur un grand tableau noir où le menu était inscrit à la craie.

— Maintenant, fit Carl, que voulez-vous savoir exactement ?

Sans détourner le regard, la jeune femme déclara simplement :

— Je suis tombée amoureuse de Brian... et je crois qu'il partage mes sentiments...

— Mais ?...

— Il y a Karen. Il l'aime encore.

— C'est Brian qui vous l'a dit ?

— Non, avoua la jeune femme en jouant distraitement avec le bouquet de marguerites qui égayait la table.

— Alors pourquoi pensez-vous qu'il l'aime encore ?

— Oh, à une foule de petits détails, son expression quand on prononce le nom de Karen, le timbre de sa voix quand il parle d'elle... Non, Carl, je ne suis pas en train de divaguer, déclara-t-elle à la vue de l'air dubitatif du colosse.

— Mais en quoi puis-je vous être utile ?

— Vous... vous pouvez me donner des informations sur Karen. Je voudrais la retrouver...

Carl hocha la tête :

— Alors, là, je ne vous suis plus. Vous aimez Brian, vous craignez qu'il en aime encore une autre et vous allez prendre la peine de la retrouver pour lui, cela n'a aucun sens !

— Ainsi tout sera clair et net, il n'y aura plus de doute qui se dresse en permanence entre nous...

— Vous êtes consciente des risques que cela implique... Vous allez peut-être le perdre...

— Il faut que je la retrouve, Carl !

— Et pourquoi n'en parlez-vous pas à Brian ? Il a mené des enquêtes à une époque...

— Je préfère ne pas le mettre au courant.

— Décidément, vous êtes une énigme, Jo. Mais que voulez-vous de moi, au juste ? Il y a des années que je ne vois plus Brian...

— Je sais, mais il a dû vous parler d'elle, autrefois...

Soudain, le visage de Carl s'éclaira.

— J'ai une meilleure idée ! C'est Brian lui-même qui va vous renseigner.

— Mais, je vous ai...

— Susan est très conservatrice, interrompit-il. Elle garde tout, même les lettres au Père Noël de notre fils ! Et dans sa collection, je suis certain qu'elle en a une douzaine de Brian.

— Des lettres au sujet de Karen ? s'exclama la jeune femme, ébranlée.

— Oui. Et c'est d'ailleurs à cause de ces lettres que nous étions tellement étonnés de le voir apparaître sans Karen l'autre jour... Attendez-moi ici, je vais passer un coup de fil à Susan.

202

Carl revint quelques minutes plus tard:

— Apparemment, Susan ne les a pas sous la main, les lettres sont rangées quelque part dans une boîte au grenier. Mais elle va vous les trouver... Si vous voulez venir assister aux recherches, vous êtes la bienvenue.

— Quel dommage, je n'ai vraiment pas le temps aujourd'hui... Mais si Susan veut bien me les poster, je vous promets de vous les renvoyer le plus vite possible.

— Entendu, mais à une condition.

— Laquelle?

— Au lieu de les poster, rapportez-les vous-même. Nous serons ravis de vous avoir à dîner...

— Je ne sais comment vous remercier tous les deux, Carl.

Mais le colosse refusa la main qu'elle lui tendait et l'embrassa affectueusement sur les deux joues.

— Soyez heureuse et rendez Brian heureux, Jo, il le mérite.

Joséphine éprouva un véritable choc le lendemain matin. La personne qui arpentait le trottoir devant le salon n'était autre que Brian!

Dès qu'il l'aperçut, le jeune homme s'immobilisa et la regarda s'approcher avec un regard d'une telle intensité que Joséphine en fut saisie.

La teinte gris anthracite de son costume impeccablement coupé rehaussait le bleu clair de ses yeux et les rendait si pâles que son regard était comme insondable.

— Ta soirée s'est bien passée ? lança-t-il d'un ton faussement désinvolte.

La jeune femme esquissa un petit sourire.

— Je me suis follement amusée, ironisa-t-elle. Mais le voyant froncer les sourcils, elle s'empressa d'ajouter :

— En fait, c'était assez ennuyeux, de vieux amis de ma famille chez qui je vais dîner une fois par an.

— Je vois... Merci de me dire la vérité. C'est bon signe.

— Pourquoi ?

— Parce que cela signifie qu'un jour, tu finiras par me faire confiance. Voilà pourquoi !

Il la prit par les épaules et la secoua presque brutalement.

— J'en ai assez de tes dérobades, Jo. Assez tu m'entends ?

— Oui, souffla la jeune femme en levant timidement les paupières.

— Alors, pourrons-nous nous revoir comme avant ?

— Oui.

Brian la lâcha et laissa échapper un soupir d'exaspération. Il sentait vaguement qu'elle lui cachait quelque chose, mais quoi ? De quoi pouvait-elle avoir peur ?

D'un geste, il l'enlaça et s'empara de ses lèvres frémissantes. Jo se perdit dans cette étreinte. Plus rien n'existait en dehors des sensations voluptueuses qui l'envahissaient et lui faisaient tourner la tête.

204

Ce fut l'arrivée d'une voiture qui les obligea à se séparer.

— Donne-moi tes clés, ordonna Brian. Nous ne pouvons pas rester là.

Joséphine obtempéra. Il ouvrit la porte et la prenant par la main, l'entraîna dans l'arrière-boutique.

— Je ne permettrai à rien ni à personne au monde de m'empêcher de t'embrasser.

— Nous avons une heure devant nous avant l'ouverture de la boutique...

— Jo, pour l'amour du ciel, ne me tente pas ! fit-il en effleurant du bout des doigts son visage et sa gorge.

Puis ses mains glissèrent le long de son corps remontèrent jusqu'aux rondeurs de ses seins.

— Je veux apprendre par cœur la géographie de ton corps, Jo. Je veux le connaître aussi bien que le mien, je veux sentir ton ventre, tes seins, frémir contre ma main... Je veux t'explorer avec ma bouche, continua-t-il en enfouissant son visage dans la masse de ses cheveux.

Joséphine s'arqua contre Brian et cramponnée à sa nuque, renversa la tête en arrière avec un gémissement de plaisir. Un à un les petites perles qui boutonnaient sa robe sautaient sous les doigts impatients du jeune homme. Ivre de volupté et de désir, elle fut parcourue d'un frisson tandis qu'il prolongeait ses caresses.

Un cri rauque lui échappa. Et elle retomba à demi évanouie contre lui. Il reprit ardemment ses lèvres et ils s'unirent de nouveau en un baiser ardent.

Il fallut toute la volonté du jeune homme pour qu'il s'écarte d'elle. Il était trop tôt pour qu'ils cèdent à la passion.

— Tu es merveilleuse, Jo, chuchota-t-il à son oreille d'une voix haletante. Tu vois, tu m'obliges à révéler ma véritable nature. Je ne suis pas l'homme de marbre dont je m'efforce de donner l'image...

Joséphine posa sa joue contre le torse du jeune homme.

— Personne ne t'a jamais cru, mon amour, souffla-t-elle, incapable de calmer les battements affolés de son cœur.

— Parce que tu ne m'as pas connu avant notre rencontre, ma chérie. Je correspondais au contraire trop bien à cette description. Un homme de marbre.

— Alors c'est que les gens sont aveugles...

Brian lisait tant d'amour dans les yeux de la jeune femme, que le désir brûlant auquel il avait été sur le point de céder s'empara de nouveau de lui, le mettant à la torture.

— A quelle heure fermes-tu, ce soir ? interrogea-t-il enfin.

— A six heures. Je t'invite à dîner chez moi.

— Comment vais-je pouvoir tenir jusque-là ?

Il déposa un tendre baiser sur ses lèvres, et murmura :

— Je t'aime, Jo.

206

Après sa longue conversation téléphonique avec Bob Hollister, Florence décida d'aller voir Jo au salon de thé pour lui annoncer les bonnes nouvelles. Elle s'apprêtait à sortir de son appartement quand elle aperçut une enveloppe bleue par terre devant la porte.

— Tiens, dit-elle tout haut, Howard utilise du papier à lettres bleu à présent?

Il était en effet dans les habitudes de Howard de lui glisser des billets doux sous la porte, quand il ne pouvait pas la voir ce jour-là. C'était à la fois une joie de recevoir ces messages d'amour et de tendresse, et une souffrance de savoir qu'elle passerait une journée sans lui...

Pourtant Howard cette nuit, quand ils s'étaient quittés avant les premières lueurs de l'aube, lui avait promis de déjeuner avec elle. Que s'était-il donc passé? Un événement imprévu? En vieillissant, elle aimait de moins en moins les surprises...

Mais il ne s'agissait pas de Howard, constata-t-elle avec soulagement en ramassant l'enveloppe. Ce n'était pas son écriture. Celle-ci était grossière, maladroite, un peu comme celle d'un enfant.

« Ma chère Florence,
Nous sentons qu'il est de notre devoir de vous avertir que votre liaison avec Howard ne passe pas inaperçue. Au début, nous avons refusé de croire à l'évidence, mais puisque vous vous obstinez à passer presque toute la nuit chez lui, nous nous sommes vus obligés d'intervenir pour sauvegarder la réputation de cette résidence.

Si vous continuez dans cette voie, nous nous verrons forcer de rapporter vos agissements au directeur. Il vous demandera sans doute de partir. Vous connaissez le règlement aussi bien que moi.

Nous sommes certains que vous comprenez notre point de vue. Vous n'accepteriez sûrement pas que vos petits-enfants viennent vous rendre visite ici si tout le monde à la résidence se comportait comme vous et Howard. Nous avons une éthique à maintenir dans la communauté. Et si pour cela il faut se débarrasser d'indésirables, c'est un prix que nous sommes prêts à payer.

Nous sommes convaincus que vous serez d'accord avec nous et que nous n'en arriverons pas là. Cessez de fréquenter Howard, et tout rentrera dans l'ordre.

Et la désagréable missive était signée : « des amis qui vous veulent du bien ».

Florence replia la feuille de papier avec des mains tremblantes. Pas un instant elle ne croyait que plusieurs personnes étaient concernées, c'était là l'œuvre d'un seul individu, déséquilibré certes, mais bien informé. Cela signifiait que leurs allées et venues étaient surveillées ! Voilà le plus odieux ! Même en ne tenant pas compte des menaces de ce fou, ils ne pourraient se voir avec la même insouciance qu'avant. C'était la fin... Jamais ils ne trouveraient le bonheur.

16.

Joséphine leva les yeux de la caisse pour saluer
l'arrivé de Florence d'un sourire. Puis elle rendit sa
monnaie à son jeune client.

— Je reviendrai vous voir, déclara-t-il avec un
clin d'œil appuyé.

Elle ne parvint pas à retenir un sourire.

— Vous êtes le bienvenu.

Après son départ, la jeune femme se tourna vers
Florence.

— Ah, ces garçons, ils ne pensent qu'à flirter...

— Avec vous, c'est naturel, repartit la vieille
dame.

Son regard était sombre, ce qui n'échappa pas à
Joséphine.

— Qu'avez-vous, Florence ? Vous avez l'air
toute retournée...

Florence jeta un coup d'œil autour d'elle. De

nombreux clients se pressaient à cette heure. Elle ne pouvait parler devant eux.

— Je vous mettrai au courant plus tard, mais pour l'instant, écoutez plutôt ce que Bob Hollister m'a raconté au téléphone.

Au nom du banquier, Joséphine tressaillit. Depuis le départ de Brian, elle avait évolué dans un monde à part, où rien n'avait semblé l'atteindre, où tout était beau. Mais Florence venait de la ramener à la dure réalité.

— Qu'a-t-il dit ? répondit-elle sans enthousiasme.

Un peu étonnée du manque de curiosité de la jeune femme, Florence continua néanmoins :

— Il semblerait que Mabel a vendu sa maison parce qu'elle avait des difficultés financières. Aussi curieux que cela puisse paraître, elle était endettée jusqu'au cou.

— Mabel ? Ce n'est pas possible !

— Chut ! pas si fort, lui rappela Florence en posant un doigt sur ses lèvres.

— Excusez-moi. Mais c'est insensé !

— Un mois avant de départ de Brian, Mabel avait hypothéqué sa maison. D'après Bob, Mabel prétendait que Brian le rembourserait une fois ses études terminées. Il se souvenait parfaitement de la conversation parce que Mabel lui avait demandé de lui faire un chèque certifié au porteur pour la totalité de l'argent de l'hypothèque.

— Il n'a pas tout de suite pensé qu'elle était la victime d'un chantage ou d'une escroquerie quel-

210

conque en tout cas? avança Joséphine, qui voyait se confirmer ses soupçons.

— C'est en effet la première chose qui lui est venu à l'esprit. Mais Mabel savait être très convaincante et il a signé le chèque. Pour le regretter plus tard... car Mabel s'est révélée incapable de payer les créances et elle a dû vendre la maison. Voilà.

— Mais pourquoi Mabel n'en a jamais touché un mot à personne?

— Elle a dû espérer que Brian lui reviendrait une fois qu'elle se serait débarrassée de la gênante Karen.

— Et quand il n'est pas revenu, elle en a déduit que Karen avait joué un double jeu, et qu'elle vivait confortablement sur son argent avec Brian quelque part. Rien d'étonnant qu'elle ait été si amère à son sujet. Quelle façon de terminer sa vie!

— Au fait, Jo, à propos de l'amertume de Mabel, je me suis toujours interrogée sur sa décision de leur laisser ses bijoux. Ce n'est pas logique.

Mal à son aise tout à coup, Joséphine détourna le regard et contempla longuement le mur en face d'elle.

— Les gens ne sont pas toujours logiques avec eux-mêmes, finit-elle par répliquer.

— C'est faux, Jo. Et vous le savez parfaitement. Que s'est-il passé réellement?

La jeune femme haussa les épaules:

— De toute façon, cela n'a plus aucune importance aujourd'hui.

— Vous vous trompez, enfin... soupira la vieille

211

dame. Ah, j'oubliais, Bob m'a donné un renseignement qui va sans doute vous intéresser.

— Quoi? s'exclama Joséphine en regardant de nouveau son amie.

— Le nom du détective privé engagé par Mabel.

Le visage de la jeune femme s'éclaira subitement et elle sauta au cou de Florence.

— Vous êtes formidable!... Je ne sais comment vous remercier.

— Vous me remercierez quand vous l'aurez retrouvé, Jo.

Joséphine hocha lentement la tête, envahie par un sombre pressentiment: celui de courir à sa perte en ce lançant dans cette aventure.

— Plus j'avance, moins je suis sûre de vouloir vraiment ressusciter le passé, articula-t-elle à mi-voix.

— Vous savez, vous n'êtes pas obligée d'aller jusqu'au bout, observa Florence.

— Je ne peux plus m'arrêter maintenant.

— Mais pourquoi?

— Si j'abandonne, je ne saurai jamais...

A cet instant, le téléphone sonna. La jeune femme s'interrompit et s'excusant auprès de Florence, souleva le récepteur.

— Jo, ici Brian.

Son cœur fit un bond dans sa poitrine.

— Je ne m'attendais pas à entendre ta voix si tôt, souffla-t-elle.

— Je t'appelle de l'aéroport, mon avion décolle dans cinq minutes. Je voulais te dire qu'il y a eu un accident sur ce chantier qui nous pose tant de problèmes, tu sais, celui de l'hôtel...

— Oui, oui... Mais qu'est-il arrivé ?

— Mon contremaître... Il est à l'hôpital.

— Mon dieu ! Est-ce vraiment très grave ?

— Sa vie est en danger. Il se trouve en ce moment au bloc opératoire. Les médecins ne se sont pas encore prononcés.

— Que s'est-il passé ? interrogea-t-elle en saluant d'un signe de tête des clients qui partaient.

— Une poutrelle... elle a cédé sous lui... Mais il faut que je te quitte maintenant, Jo, je te rappelle dès que je suis rentré chez moi.

— Brian, si tu as besoin de...

— Au revoir, Jo, coupa-t-il. Je ne veux pas rater mon avion. Je t'aime...

— Je t'aime moi aussi, murmura Joséphine.

Mais il avait déjà raccroché et seuls les grésillements de la ligne lui répondirent. Elle reposa lentement le récepteur en se mordant les lèvres pour ne pas fondre en larmes.

— Je ne sais pas ce que je vais devenir s'il choisit Karen. J'ai peur, Florence...

— Pour la dernière fois, Jo, abandonnez ce projet !

Joséphine secoua si violemment la tête que ses cheveux blonds balayèrent son visage.

— Je n'ai pas le choix, malheureusement. Vous imaginez l'enfer que serait mon existence si j'épousais Brian en me demandant s'il n'en aimait pas une autre ? Non, c'est insupportable. Mieux vaut savoir la vérité, même si elle est cruelle.

— Je n'ai pas d'arguments contre ce genre de raisonnement... Bien, je vais aller trouver Howard pour qu'il se mette sur la piste de ce détective.

Mais Joséphine retint son amie par le bras:

— Attendez, Florence, je ne vous laisserai pas partir d'ici avant de savoir ce qui vous préoccupe. Je ne vous ai jamais vue l'air aussi perdu...

Subitement, Florence perdit contenance. A son tour, elle était au bord des larmes.

— Ce serait trop long à vous expliquer, une autre fois, riposta-t-elle.

Mais Joséphine alla d'un pas décidé fermer la porte de la boutique. Puis elle se retourna vers son amie en croisant les bras sur sa poitrine.

— J'ai tout le temps du monde devant moi. Allons, Florence, dites-moi pourquoi vous êtes si catastrophée. Car vous l'êtes, n'est-ce pas? Vous ne m'avez pas laissée l'autre jour quand j'étais en plein désarroi. Eh bien, aujourd'hui, c'est moi qui vous écoute...

Avec un soupir, la vieille dame s'affaissa sur une chaise et se mit à fouiller dans son sac. Elle en retira une enveloppe bleue qu'elle tendit à sa jeune amie sans un mot d'explication. Jo lut rapidement la lettre puis posa sur Florence un regard brillant de colère et d'indignation.

— Savez-vous qui a pu écrire... ces horreurs? Florence fit non de la tête.

— J'ai trouvé cette lettre glissée sous ma porte ce matin.

— Howard est-il au courant?

— Pas encore, fit la vieille dame en baissant le front pour cacher le tremblement de ses lèvres.

— Je ne comprends pas comment on peut être aussi ignoble! Une lettre anonyme, et de la pire espèce.

— L'envie, la haine... ce sont des choses malheureusement trop courantes.

— Vous semblez résignée, Florence, accusa Joséphine.

— Je suis simplement plus âgée que vous, j'ai perdu mes illusions, je suis réaliste. Voilà tout.

— Mais c'est de la pure méchanceté! Cette personne cherche à vous gâcher la vie!

— Justement. Contre ces gens-là, il n'y a qu'une solution: prendre la fuite. Mais c'est difficile dans notre cas, nous n'avons pas les moyens de quitter la résidence.

— Alors?

— Alors, nous allons nous séparer, Howard et moi. Nous ne pouvons plus continuer ainsi. Déjà la vie n'était pas simple pour nous, mais si nous sommes espionnés jour et nuit...

— Quelle importance? Ce ne sont que des ragots de misérables individus...

— Mais ces ragots nous détruiront à la longue, soyez-en sûre, Jo.

— Mais si vous vous séparez, quel genre de vie aurez-vous? Déménagez...

— Je vous en supplie, Jo, essayez de comprendre, sanglota presque la vieille dame. Il nous est pour des raisons matérielles impossible d'habiter ailleurs qu'ici. Si nous déménageons, nous n'aurions même pas de quoi nous nourrir! Non, Jo, nous n'avons pas le choix.

Devant l'expression de son amie, la jeune femme sentit son cœur se serrer.

— Je suis désolée, Florence. Si je peux vous aider en quoi que ce soit, finit-elle par prononcer d'une voix sourde.

Du dos de la main, la vieille dame essuya une larme qui roulait sur sa joue.

— Merci, Jo, continuez à être mon amie, c'est tout ce que je vous demande.

D'un geste plein de tendresse, Joséphine se pencha vers Florence et la prit doucement par les épaules.

— Florence, je ne sais pas pourquoi, mais j'ai l'impression que votre situation n'est pas si désespérée. Il y a une issue, il faut me croire...

— Bien sûr, Jo, acquiesça la vieille dame avec une moue courageuse.

Mais Joséphine voyait bien qu'elle ne la croyait pas.

Les deux jours suivants s'écoulèrent sans autre événement marquant qu'un coup de téléphone de Brian, annonçant à la jeune femme que son contremaître était tiré d'affaire. Malheureusement, il ne put lui parler longtemps, depuis l'accident il était débordé.

Quant à Florence, elle quitta rarement les pensées de Joséphine. La jeune femme se demandait

216

par quel moyen venir en aide à son amie. Elle s'était même mise à observer la clientèle de la résidence avec un autre œil. Qui sait ? L'un d'entre eux était peut-être l'auteur de la lettre anonyme ?

Ce fut le plombier, Ernie Baxter, venu réparer l'évier qui lui fit remarquer sa nervosité.

— Qu'est-ce qui ne va pas, Jo ? interrogea-t-il en la dévisageant. Vous êtes bien agitée.

— Rien... pourquoi ? répondit-elle en se figeant. Je suis une peu préoccupée, voilà tout.

— Puis-je vous aider ? S'il s'agit de plomberie... Joséphine ne put s'empêcher de sourire.

— Vous êtes gentil, Ernie...

Comme elle prononçait ces mots, le carillon de la porte retentit. C'était le facteur qui tendit à Joséphine une grande enveloppe brune.

— Vous n'avez pas beaucoup de clients aujourd'hui, dites, lança l'employé des postes d'un ton compatissant.

— Oh, c'est seulement l'accalmie avant la tempête, répartit distraitement Joséphine en acceptant l'enveloppe.

Ce facteur ne lui était décidément pas sympathique. D'ailleurs avec lui, elle ne s'entretenait jamais que de la pluie ou du beau temps. Sachant combien il était mauvaise langue, elle se méfiait. Et puis elle le considérait un peu comme un oiseau de mauvaise augure.

— Bien, bien, fit le facteur, goguenard. Passez une bonne journée quand même...

Après son départ, Ernie observa assez sèchement :

— Celui-là, ils ne devraient pas le laisser sortir de la poste !

— Je crois qu'au contraire, ils sont trop contents de se débarrasser de lui, répliqua Joséphine en inspectant l'enveloppe.

L'expéditeur était Susan Vizenor. La femme de Carl... Pourquoi lui avait-elle envoyé les lettres de Brian au magasin et pas chez elle ? Mais bien sûr, elle avait complètement oublié de donner son adresse à Carl ! Où avait-elle la tête ces jours-ci ? Sa distraction allait finir par lui jouer des tours...

Joséphine hésitait à l'ouvrir, effrayée par ce qui l'attendait.

— Jo ?

— Oui, Ernie ? fit-elle. Excusez-moi, je n'ai pas entendu ce que vous me disiez...

— Vous n'aurez plus de problème avec votre évier, pas pendant un bout de temps en tout cas. Alors si vous n'avez rien d'autre, je vais y aller...

— Oui, oui, très bien, fit-elle en posant l'enveloppe sur le comptoir. Combien vous dois-je ?

— La plus grosse glace à la groseille que vous ayez, avec des amandes pilées...

— Ernie ! protesta la jeune femme. Je vous dois toujours le montant de votre dernière réparation !

— Dans ce cas vous rajouterez des raisins secs aux amandes !

Il était inutile de discuter. Joséphine lui prépara ce qu'il voulait et s'assit à côté de lui pour bavarder pendant qu'il se régalait. Ce ne fut qu'après son départ qu'elle se résolut à déchirer l'enveloppe de Susan.

218

Elle en sortit une pile de photocopies, à laquelle Susan avait joint un mot.

« Chère Jo,
Un ami a eu la gentillesse de faire ces photocopies pour moi. Cela vous épargnera la peine de me renvoyer les originaux.

Carl et moi-même pensons beaucoup à vous et espérons de tout notre cœur que votre entreprise réussira pour le bonheur de tous.

Susan. »

Joséphine étala soigneusement les feuillets sur la table devant elle et les contempla longuement sans oser les lire. Puis, avec des mains tremblantes, elle souleva la première.

Trois heures plus tard, après plusieurs interruptions, elle termina la dernière lettre de Brian à Carl et Susan. Cette dernière avait classé la correspondance dans l'ordre chronologique, de sorte que la jeune femme vit se préciser au fur et à mesure de sa lecture le portrait de sa rivale. Un nom à peine mentionné dans la première lettre, lorsqu'il leur apprenait sa rencontre avec Karen, mais qui devenait à la fin omniprésent. Il ne parlait plus que d'elle et de ses problèmes avec Mabel.

Un profond découragement s'empara de Joséphine. Lire ces missives avait été une véritable torture. Pourtant, sa conviction s'en trouvait renforcée : il était indispensable sinon vital à Brian comme pour elle d'écrire le dernier chapitre de cette histoire. Et en même temps, était-il possible que meure un amour aussi intense ? Le temps effaçait-il les sentiments comme les vagues les traces de pas sur le sable ?

Joséphine travailla très tard dans la nuit. Il était plus de deux heures du matin quand elle mit la touche finale au dossier élaboré pour Alex. Elle y avait résumé les éléments glanés sur le caractère et la personnalité de Karen. Les lettres de Brian lui avaient non seulement appris sa taille, la couleur de ses cheveux, mais ce qu'il lui avait offert pour Noël et pour son anniversaire. Elle savait que Karen n'aimait pas les rigueurs des climats froids et qu'elle avait tenu absolument à faire des heures supplémentaires aux époques où Brian préparait ses examens.

Joséphine qui s'était à priori attendue à trouver Karen antipathique, se surprit au contraire à l'admirer. La jeune femme avait lutté pour permettre à Brian de poursuivre ses études. Et cela sans une plainte, sans une récrimination, alors que tout se liguait contre elle : Mabel, le climat du Colorado, l'inconfort de leur situation, l'absence totale de ce luxe qu'elle chérissait tant... Elle qui adorait s'habiller, elle en était réduite à coudre ses propres robes et celles de sa fille ; elle qui ne rêvait que de théâtre, elle n'avait pas assez d'argent pour acheter des billets — Karen travaillait parfois à la confection des costumes d'une troupe de la région en échange d'entrées gratuites.

Mille images de Karen vinrent peupler cette

nuit-là le mauvais sommeil de Joséphine : Karen et Brian ensemble, main dans la main, une petite fille sautillant devant eux... Karen seule dans une petite pièce penchée sur une machine à coudre, ses cheveux cendrés comme un rideau argenté devant son visage... Karen au théâtre, belle et talentueuse sur la scène... Une silhouette autour de laquelle elle tournait, tournait, sans jamais être en mesure de la voir nettement.

Le lendemain matin, ce fut la sonnerie du téléphone qui tira Joséphine de ses rêves.

— Jo ?

— Brian ! s'exclama-t-elle d'une voix sourde, le cœur battant.

— Jo... J'ai vu Jack hier soir.

La jeune femme jeta un coup d'œil à son réveil. Huit heures déjà ! Elle allait une fois de plus être en retard au salon de thé.

— Comment va-t-il aujourd'hui ? s'enquit-elle.

— Il est moins faible, mais il se fatigue encore vite. Quand je l'ai interrogé sur l'accident, il m'a jeté un tel regard que je n'ai pas osé insister.

— Mais pourquoi, crois-tu ?

— A mon avis, c'était une erreur de sa part, et il est trop orgueilleux pour l'admettre.

— Et sa femme, comment prend-elle la chose ?

— Elle était folle d'inquiétude, mais ça va mieux. Elle est rentrée chez elle s'occuper des enfants...

Après une pause, Joséphine s'enquit :

— Crois-tu que tu vas pouvoir venir à Denver la semaine prochaine comme prévu ?

Elle brûlait de le voir, qu'il la serre dans ses bras, lui permette d'oublier même pour quelques heures son insensée quête du passé.

Mais à cet instant, elle entendit une voix à l'autre bout du fil. Sans doute la secrétaire de Brian qui entrait dans son bureau.

— Ne quitte pas, s'il te plaît...

Pendant les minutes qui suivirent, Joséphine songea de nouveau à Karen. Brian aurait sans doute été différent si elle était restée avec lui... Au lieu d'être propriétaire d'une entreprise de bâtiment, il aurait sans doute un cabinet d'architecte, il voyagerait dans tous les Etats-Unis, dans le monde entier. Peut-être le couple habiterait-il aujourd'hui New York, Paris ou Rome ? A la pensée de ces autres mondes qu'elle ne connaîtrait jamais, elle fut parcourue d'un frisson. Si seulement Brian était auprès d'elle, elle ne se laisserait pas aller à ces divagations...

Brian ! eut-elle envie de crier dans le récepteur tant elle avait besoin de lui. *Brian !* Pourquoi fallait-il qu'il la quitte au beau milieu d'une conversation ? Cela signifiait-il que bientôt, quand elle aurait retrouvé Karen... Non, elle n'osait envisager cette éventualité, et pourtant...

— Navré de te faire attendre si longtemps, finit par déclarer Brian. Que disais-tu ?

— Je... je me demandais si tu venais toujours la semaine prochaine à Denver pour cette réunion avec les promoteurs... En fait, je voulais savoir quand j'allais te revoir...

222

— Si seulement je pouvais te donner une réponse, ma chérie! Les ennuis se sont succédés avec cet hôtel, nous avons accumulé un retard de plusieurs semaines. Et sans Jack, tout est extrêmement compliqué... J'ignore quand je pourrai me libérer... Mais, Jo, ne pense pas que je t'oublie, au contraire...

Joséphine se taisait.

— Jo?

— Je suis là.

— Nous rattraperons le temps perdu, tu verras?

La jeune femme esquissa un sourire triste.

— Ne t'inquiète pas, tout va rentrer dans l'ordre très bientôt.

— Je t'aime, murmura-t-elle gravement.

— Et c'est ce qui me permet de survivre jour après jour, mon amour. Je t'aime...

Après avoir échangé encore quelques mots tendres, ils se promirent de se revoir dès que possible. A peine Joséphine venait-elle de raccrocher que le téléphone se mit de nouveau à sonner. Mais cette fois, c'était Florence.

— Je voulais vous parler avant votre départ pour le magasin, commença la vieille dame. Howard vient de m'appeler, il a retrouvé notre détective...

Joséphine serra fort le récepteur. Elle avait l'intuition que Florence allait lui apprendre une mauvaise nouvelle. Et en effet, la vieille dame enchaîna:

— Je suis désolée, Jo, il est mort... Il y a trois ans.

— A-t-il laissé quelque chose derrière lui qui pourrait nous aider? Des papiers? Des archives concernant les affaires qu'il avait traitées?

— Non, rien. Tout a été détruit l'année dernière. Sa fille avait rangé ses classeurs dans sa cave et celle-ci a été inondée au printemps. Elle s'est débarrassée de tout...

Paradoxalement, Joséphine se sentait soulagée. Elle n'allait peut-être pas être capable en fin de compte de retrouver Karen... Mais ce que son cœur admettait volontiers, sa raison en revanche refusait de l'accepter.

— Remerciez Howard de ma part, Florence.

— Qu'allez-vous faire maintenant, Jo?

— Eh bien, je suppose que je vais apporter toutes les informations que j'ai réussi à rassembler sur Karen à Alex.

Après une pause, elle reprit:

— Au fait, Florence, comment a réagi Howard à la lecture de cette odieuse lettre?

— Je ne la lui ai pas encore montrée, avoua la vieille dame.

— Ce qui signifie que vous allez ignorer les menaces de cet ignoble individu?

— Pas exactement, non...

— Alors?

— J'ai beaucoup réfléchi...

— Et qu'avez-vous conclu? insista Joséphine tandis que son amie tardait à poursuivre.

— A mon avis, il n'y a qu'une solution: me débrouiller pour qu'Howard imagine que je ne tiens plus à lui.

— *Quoi?* cria presque la jeune femme dans le récepteur. Vous plaisantez, Florence. Howard ne vous croira jamais!

— Il le faudra biren.

D'un geste rageur, Joséphine ramassa l'appareil téléphonique et se mit à marcher de long en large dans sa chambre en traînant le fil derrière elle.

— Je ne vous comprends pas, Florence. Vous allez le rendre fou de chagrin!

— Ce sera pire encore si je lui montre la lettre. Non, je vous assure, il n'y a pas d'alternative. Je veux à tout prix lui éviter l'humiliation de ne pouvoir me protéger des mauvaises langues. Voyez-vous, il n'a pas les moyens de lutter contre ce genre de chose. Sinon il y a longtemps que nous serions mariés et heureux...

— Et sincèrement vous estimez qu'il est préférable de rompre?

— Il vaut mieux qu'il garde au moins sa fierté.

La jeune femme secoua vigoureusement la tête. Fallait-il que la vie soit toujours un déchirement. Florence et Howard? Brian et Karen? Elle et Brian... Un sanglot s'étouffa dans sa gorge.

— Florence, je... je, bredouilla-t-elle, je ne sais que vous dire...

— Ne dites rien, Jo. Tout ce que je vous demande, c'est de rester mon amie. Vous ne pouvez pas savoir ce que cela représente pour moi. D'autant que bientôt, je serai seule...

Avec un soupir, Joséphine se laissa soudain tomber dans un fauteuil de sa chambre.

— Mon dieu! Que sont devenus les contes de fées de mon enfance?

— La vie n'est pas un conte de fée, mon petit, rétorqua la vieille dame.

Joséphine se mordit les lèvres. Elle refusait de se plier à la dure réalité. Pour elle, un espoir de bonheur brillait toujours à l'horizon, malgré tout. Mais elle n'eut pas la cruauté de partager cette pensée avec Florence contre qui tout semblait se liguer.

— Que voulez-vous que je réponde à Howard quand il me questionnera à votre sujet?

— J'y ai pensé. Je vais cesser de venir vous voir au magasin pendant quelque temps. Ainsi vous pourrez dire que vous ne m'avez pas vue récemment et ce ne sera pas un mensonge.

Le cœur de la jeune femme se serra.

— Florence, vous êtes la femme la plus courageuse que je connaisse.

— Non, Jo, je l'aime, voilà tout.

Quelques minutes plus tard, c'est la mort dans l'âme que Joséphine composa le numéro d'Alex. Comme Florence, s'apprêtait-elle à sacrifier Brian sur l'autel de l'Amour?

226

17.

Les coudes sur la table de sa salle à manger, Alex Reid se pencha sur une des fiches de Joséphine, celle justement où elle avait dressé un portrait physique de Karen.

— Crois-tu, Josie, que Karen soit aussi belle en réalité ou est-elle vue à travers le regard d'un amoureux?

— D'après le style des lettres, il me semble que Brian tente d'être aussi précis et réaliste que possible, surtout dans la période où il s'interroge sur ses sentiments et n'a pas encore admis qu'il est fou d'elle...

— Soit, acquiesça Alex sans trahir la moindre émotion. Et son honnêteté? Comment croire que cette femme ait pu disparaître avec la fortune de Mabel alors que selon Brian, elle est la vertu même?

— J'y ai réfléchi, avança prudemment Joséphine sans relever l'ironie d'Alex.

— Et quelles sont tes conclusions?

— Je n'en ai aucune. Quel que soit le point de vue que l'on adopte, il est impensable que Karen ait agi comme on suppose qu'elle l'a fait. De toute évidence, elle était amoureuse de Brian. Et pendant ces mois de vie commune, n'a-t-elle pas prouvé qu'elle était capable de travailler dur pour les faire vivre tous les deux? Non, ça n'a aucun sens, tu as raison. Pourquoi l'aurait-elle quitté juste avant ses examens de fin d'études, au moment où il avait le plus besoin d'elle?

C'est ce moment que choisit Alex pour déclarer:

— Tu n'as pas tort de supposer que Brian donne une description fidèle de Karen. En tout cas, aucune de mes sources d'Iowa City n'a pu le démentir...

Comme si elle avait reçu un choc, la jeune femme se redressa sur sa chaise:

— Des sources? répéta-t-elle stupéfaite.

Sans se presser, Alex retira son crayon de derrière son oreille.

— Du calme, Josie. J'ai un collègue là-bas qui me doit une faveur, alors je lui ai demandé de mener une petite enquête sur Karen.

— Attends! s'exclama Joséphine. Tu m'avais bien affirmé qu'il était illégal de m'aider à retrouver Brian, non? Comment se fait-il que tout à coup, tu te mettes à chercher Karen?

— Ce n'est pas la même chose, mais pas du tout...

— Je vois, fit-elle, sarcastique. Je suppose que tu refuses de m'expliquer ces subtilités…?

Alex la considéra un instant avec sévérité avant de rétorquer:

— Josie, je te trouve très nerveuse, pourquoi ne te reposes-tu pas quelques jours? Prends donc un peu de distance, après tout, tu n'as peut-être pas tellement envie de la retrouver…

Joséphine crut déceler de la pitié dans les intonations d'Alex. La mort dans l'âme, elle s'enquit:

— Alors elle est vraiment aussi belle que dans les lettres?

— A ce qu'il paraît, oui.

Cette révélation frappa Joséphine. Inconsciemment elle avait souhaité que Brian ait été trompé par l'ardeur de ses sentiments pour sa rivale. Pour cacher sa déception à Alex, elle se leva et se posta devant la fenêtre qui donnait sur le jardin.

— Je tiens à la retrouver, Alex. C'est vital pour moi.

Après quelques secondes de silence, Alex répondit d'un ton adouci:

— J'ai une idée du lieu où elle se cache, mais je n'en suis pas encore sûr. Il me faut d'abord examiner les informations que tu m'as apportées aujourd'hui, Josie.

— Où habite-t-elle? s'enquit Joséphine en se tournant de nouveau vers lui, les yeux brillants.

— Je te le dirai bientôt.

— Alex! Ne vois-tu pas que je suis à la torture?

— Navré, Josie, mais je n'ai pas le droit de révéler quoi que ce soit sans preuve.

229

— Et dans combien de temps auras-tu ces... preuves?

— Je te téléphonerai dans deux jours.

— C'est promis?

Alex partit d'un rire sonore:

— C'est juré! Sacrée Josie! Toujours aussi têtue...

Deux jours s'écoulèrent sans nouvelles d'Alex. Puis trois. Au bout du quatrième, Joséphine rentrait chez elle quand elle entendit le téléphone sonner derrière la porte. Fébrilement, elle tourna la clé dans la serrure et se précipita pour décrocher.

— Allô! cria-t-elle.

A bout de souffle, elle se laissa tomber sur le canapé.

— Josie?

— Alex! Enfin!

— Qu'est-ce que tu as?

— Oh, je suis juste un peu essoufflée. Alors?

— C'est incroyable. Jamais aucune de mes enquêtes officielles ne s'est aussi bien passée. Dire que je ne peux même pas m'en vanter!

— De quelle enquête parles-tu?

— Hum... Je suppose que je mets la charrue avant les bœufs, hein?

— Pour l'amour du ciel, Alex! s'impatienta la jeune femme.

— Karen est en Californie, dans les environs de Los Angeles.

Joséphine fut parcourue d'un frisson glacé. Elle ne pouvait plus reculer à présent.

— Tu l'as *vraiment* trouvée ! murmura-t-elle presque.

— Presque, répondit le policier. Il y a encore un peu de travail.

— Quel genre ?

— En fait, il y a trois candidates sur ma liste. Elles s'appellent toutes les trois Karen et leur nom de famille commence par un « P ». Elles correspondent à la description que tu m'as donnée d'elle. Aucune n'est mariée, deux ont une fille de l'âge de Tracy. Ce qui ne signifie pas que la troisième n'a pas d'enfant.

Stupéfaite par la précision des renseignements recueillis par Alex, Joséphine ne put se retenir de le questionner :

— Qu'est-ce qui a bien pu te mener jusqu'à Los Angeles ?

— Tout d'abord son aversion pour les climats froids...

Le policier marqua une pause, mais comme la jeune femme se taisait, il poursuivit :

— Ensuite sa passion pour le théâtre. J'ai demandé à un de mes copains comédien de consulter l'annuaire du cinéma.

— Mais pourquoi le cinéma ? Cela n'a rien à voir avec le théâtre, argua Joséphine qui commençait à voir où il voulait en venir.

— Certes, ce n'est pas tout à fait la même chose. Mais voilà, d'après mes sources à Iowa City, je savais qu'elle rêvait d'être comédienne, à Hollywood...

Ce raisonnement était logique, mais Joséphine avait encore des doutes.

— Mais comment peux-tu en être si sûr ? insista-t-elle.

— J'en mangerais mon...

— Ton insigne, termina la jeune femme à sa place.

Elle l'avait entendu prononcer cette phrase un nombre impressionnant de fois lors de sa visite chez lui, aussi bien au sujet du prochain match de football que du sexe de son enfant à naître.

— Tu ne me fais pas confiance, Josie. Je le sens...

— Alex, je t'en prie, explique-moi...

— Eh bien, il faut que je t'avoue qu'un policier se guide grâce à ses intuitions. Evidemment cela conduit parfois dans des impasses...

— Mais dans le cas de Karen, ne penses-tu pas qu'elle prend de gros risques en s'exposant ainsi à l'écran ? Si jamais Brian la reconnaissait dans un film...

— A mon avis, c'est exactement ce qu'elle recherchait.

Joséphine sentit sa gorge se nouer. Ses pires craintes allaient-elles se trouver confirmées ? Il semblait bien que oui.

— A-t-elle réussi dans son nouveau métier ?

— Cela dépend.

— De quoi ?

— Laquelle des trois est la véritable Karen. C'est cela la question. Deux d'entre elles ont du mal à s'en sortir. Elles tiennent de petits rôles dans des téléfilms. La troisième en revanche est sur le point de devenir une vedette... c'est en tout cas l'opinion de mon copain.

— Alors que faisons-nous à partir de là?

— De deux choses l'une : soit nous enquêtons sur leur passé...

— Soit nous allons rendre visite à ces dames, termina Joséphine.

Il s'ensuivit un long silence. Sans doute Alex la laissait-il volontairement réfléchir.

— J'espère que je me trompe sur ce que tu es en train de concocter... reprit le policier.

— Pourquoi pas? Qui d'autre?

— Il y a plein de gens.

— Par exemple? rétorqua-t-elle.

— Mon copain comédien.

Joséphine examina soigneusement cette solution. Il eût été beaucoup plus facile pour elle si quelqu'un d'autre entrait en communication avec les trois Karen. D'un autre côté, l'inactivité la rendait folle!

— Je dois m'en occuper moi-même, déclara-t-elle d'un ton qu'elle voulait catégorique.

— Josie, cherches-tu tellement à souffrir?

Alex avait visé juste. D'une voix sourde, la jeune femme riposta :

— A t'entendre, il est inévitable qu'entre nous deux, Brian choisisse Karen.

— Ce n'est pas ce que j'ai dit. Mais sois donc un peu réaliste, Josie. Brian et Karen ont vécu ensemble pendant un an et demi. Il considérait sa fille comme la sienne. Ils avaient commencé à bâtir ensemble une famille, et ensuite, quand elle l'a quitté, il lui est resté fidèle pendant huit ans. Cela pèse lourd dans la balance, tu ne trouves pas... Toi, quand l'as-tu rencontré? Il y a à peine un mois!

Cette fois, ce ne fut pas le chagrin qui envahit la jeune femme mais la colère.

— Alex! Rien ne m'empêchera d'aller jusqu'au bout de cette affaire. Et je ne suis pas d'accord avec toi. Je pense que nos chances sont égales. Après tout, Karen l'a abandonné, il a eu le temps de l'oublier. Et puis il est tombé amoureux de moi... Mais je ne vais pas continuer à t'assommer avec ma vie sentimentale...

— Et tu crois que je vais te donner leurs adresses, comme ça? riposta le policier.

La question était agressive, mais au timbre de sa voix, elle comprit qu'elle avait gagné.

— Quand puis-je les avoir?

— Bon sang, Josie! Je n'aime pas ça.

— Moi non plus, Alex. Mais c'est ainsi...

Joséphine passa la nuit à imaginer ce qu'elle dirait à Karen lors de leur entrevue. Se tournant et se retournant entre ses draps, elle tenait de grands discours puis s'arrêtait, au bord du désespoir. Les premières lueurs de l'aube la trouvèrent à moitié assoupie, fiévreuse, l'esprit confus et inquiet.

Et sur sa table de chevet, les aiguilles de son réveil tournaient implacablement. Bientôt le téléphone allait sonner et comme tous les matins, la voix de Brian résonnerait à son oreille, lui procurant à la fois une joie intense et une immense souffrance. Car comment allait-elle pouvoir lui parler à présent qu'elle était sur le point de retrouver Karen ?

Après avoir longuement hésité, Joséphine décrocha le combiné.

Au lieu de se rendre directement au salon de thé, Joséphine gara sa bicyclette devant la petite agence de voyages dont se servaient les habitants de la résidence. Quand on lui annonça le prix d'un aller-retour pour Los Angeles, elle laissa échapper un cri d'horreur. Dans ces conditions il ne lui resterait plus rien pour l'hôtel et les déplacements, même si elle n'empruntait que des autobus !

En quittant l'agence, Joséphine n'osa pas se rendre au magasin de peur que Brian n'essaye de l'y joindre. Aussi se résolut-elle à monter voir Florence.

— Jo ! s'exclama la vieille dame en ouvrant tout grand sa porte. Quelle bonne surprise !

— Pardonnez-moi, il est tôt, mais j'avais besoin de parler... Puis-je entrer ?

— Mais bien sûr, fit Florence en s'effaçant pour la laisser passer.

— Alex a retrouvé Karen, déclara-t-elle sans préambule.

— Ah... souffla la vieille dame. Je me demandais aussi... Mais venez vous installer, Jo, je vais nous préparer une bonne tasse de thé. Et ensuite vous me raconterez toute l'histoire...

235

Mais Joséphine était trop agitée pour s'asseoir. Elle suivit Florence dans la petite cuisine et la mit rapidement au courant de la situation, sans lui cacher sa déception concernant son voyage à Los Angeles.

— Amy pourrait vous prêter un peu d'argent, suggéra Florence en lui tendant une tasse de thé fumante.

— J'en suis convaincue, malheureusement, Amy est en croisière quelque part dans les Bermudes!

— J'oubliais qu'elle était partie. Mais vous devriez l'attendre.

— Encore une semaine! C'est impossible!

— Et Alex?

— Alex n'est pas favorable à ce voyage, cela m'étonnerait qu'il le finance. De toute façon, sa femme va accoucher d'un jour à l'autre. Ce n'est pas le moment de lui emprunter de l'argent...

— Mais vous ne pouvez tout de même pas y aller en voiture!

— Pourquoi pas? Après tout, elle roule, tant bien que mal certes, et cela me prendra dix fois plus de temps, mais ce sera plus économique.

— Jo, vous avez perdu la tête, ma parole! Même si votre voiture vous emmène jusque là-bas, vous avez à peine assez d'argent pour survivre.

La jeune femme haussa les épaules.

— J'ai toujours ma carte de crédit...

— Vous reportez le problème à votre retour.

— Et puis je peux mettre les perles de Mabel en gage! ajouta Joséphine d'un air de triomphe.

— Attention à votre tasse, Jo, vous allez vous brûler, observa la vieille dame. Mais que ferez-vous de votre magasin ?

Joséphine allait répondre qu'elle fermerait, quand une idée lui traversa l'esprit :

— Si vous vouliez bien vous en occuper pendant mon absence, Howard et vous...

Le visage de la vieille dame s'éclaira d'un sourire :

— Oh, Jo... nous... mais nous allons... non, c'est impossible, enchaîna-t-elle en s'assombrissant tout à coup.

— C'est capital pour moi, Florence. Si le magasin ne reste pas ouvert, je ne vais pas être en mesure de payer mes factures. C'est la faillite assurée !

Florence eut soudain l'air pensif. Avait-elle exagéré ? s'inquiéta Joséphine. Après tout, aucun commerçant quel qu'il soit ne pouvait prétendre que quelques jours de fermeture suffisaient à provoquer une faillite !

— Je ne voudrais pas que vous ayez des ennuis, finit par énoncer la vieille dame.

— Ce qui signifie que vous acceptez ? s'écria la jeune femme, immensément soulagée.

— Il faut d'abord que je consulte Howard. Il n'a peut-être plus tellement envie de se trouver trop longtemps en ma compagnie. Je n'ai pas besoin de vous expliquer pourquoi...

— Voulez-vous que je lui parle ? proposa Joséphine.

— Vous êtes gentille, mais non, soupira Florence. Quand comptez-vous partir?

— Cet après-midi.

Comme Florence paraissait ahurie, elle s'empressa d'ajouter:

— Ce n'est pas trop tôt?

— Vous au moins, quand vous prenez une décision, rien ne vous arrête, n'est-ce pas?

— Peut-être ai-je peur qu'en laissant passer du temps, ma détermination ne s'émousse, répondit gravement la jeune femme.

Après avoir posé sa tasse de thé sur la table, elle se leva.

— Bien, je vais aller préparer ma valise. Ensuite j'irai au magasin tout préparer pour que vous preniez la relève... Au fait, si jamais vous voulez me joindre, soit à la maison soit au magasin, laissez le téléphone sonnez deux fois puis rappelez, je saurai que c'est vous.

— Qui essayez-vous d'éviter?

— Brian. Je n'ai pas le courage de lui mentir. Alors...

— Et s'il téléphone pendant votre absence?

La jeune femme hésita. Si elle ne voulait pas mentir, il était injuste de laisser la vieille dame le faire à sa place.

— Dites-lui que je suis partie rendre visite à quelqu'un et que je serai de retour dans une semaine.

Florence la raccompagna jusqu'à la porte.

— Je n'ai jamais mis quoi que ce soit en gage,

connaissez-vous la procédure? interrogea Joséphine avant de sortir.

— Je sais seulement comment les gens s'y prennent dans les feuilletons télévisés!

Joséphine ne put s'empêcher de sourire. Que deviendrait-elle sans l'humour de sa vieille amie Florence?

Joséphine était occupée à remplir un cabas de provisions pour la route, quand le téléphone se mit à sonner. Certaine qu'il s'agissait de Brian, elle du faire appel à toute la force de sa volonté pour ne pas répondre.

Un peu plus tard, encore toute troublée, elle faillit oublier son sac de couchage, pourtant indispensable si elle comptait dormir dans sa voiture! Quelle épopée, ce voyage! Combien de kilomètres jusqu'à Los Angeles? Elle qui hésitait à aller voir ses parents en Californie pendant ses vacances, voilà qu'elle s'apprêtait à effectuer mille cinq cents kilomètres pour rendre visite à une inconnue, une rivale qui allait probablement lui enlever le seul homme qu'elle ait jamais aimé!

Devait-elle laisser un mot à Amy? se demanda-t-elle après avoir verrouillé sa porte. Ce n'était pas la peine, après tout, sa voisine devait rentrer à peu près au même moment qu'elle...

Après être passée à la banque, elle s'arrêta au salon de thé où elle mit tout en place pour Howard et Florence. Après quoi, elle alla déposer la clé dans la boîte aux lettres de la vieille dame — pas

un seul instant elle ne doutait que Howard accepte-
rait de l'aider.

Après avoir fait le plein d'essence, la première
étape de Joséphine fut Denver. Elle se rendit chez
Alex afin de prendre les adresses des trois Karen,
puis alla chez le prêteur sur gages pour y déposer
les perles de Mabel.

Joséphine arriva à Los Angeles le lendemain en
fin de soirée. Elle passa la nuit dans un motel
qu'elle connaissait d'un précédent séjour et prit son
petit déjeuner en étudiant la carte des environs de
Los Angeles.

Par malheur, les trois Karen vivaient à des kilomètres les unes des autres. Joséphine décida qu'elle
commencerait par le sud pour remonter ensuite
vers le nord.

En approchant de la petite villa blanche de style
rococo, Joséphine se dit qu'elle faisait erreur. Ce
n'était sûrement pas là l'habitation de la Karen des
lettres de Brian. Mais fallait-il encore en avoir la
preuve… Aussi, prenant son courage à deux mains,
se força-t-elle à descendre de voiture et à sonner à
la porte.

Celle qui lui ouvrit était une jeune femme d'une
trentaine d'années, avec des cheveux blonds coiffés
en queue de cheval. Elle était vêtue d'un collant de
danseuse et d'un body bleu pâle qui moulaient sa
mince silhouette.

— Que voulez-vous? s'enquit la jeune femme en
essuyant son front avec une serviette.

— Je cherche une certaine… Karen Parker?

240

— C'est moi.

— Je... j'aimerais vous entretenir d'un ami commun, commença maladroitement Joséphine, de plus en plus mal à l'aise.

La femme la considéra avec méfiance :

— Ecoute, ma belle, je n'ai pas encore terminé mes exercices, alors je n'ai pas de temps à perdre.

Un peu étonnée de ce tutoiement, Joséphine insista cependant :

— Nous en avons à peine pour une minute.

— Dis-moi simplement de qui il s'agit, lança la blonde, soudain agressive.

— Brian Tyler, répondit Joséphine, pleine d'appréhension.

Rien ne se déroulait comme prévu. La dénommée Karen Parker fronça les sourcils.

— Brian Tyler, répéta-t-elle lentement. Jamais entendu parler...

Puis dévisageant Joséphine de plus près :

— Que cherches-tu, au juste ?

A moins que cette femme fût une grande comédienne, ce dont elle doutait fort, elle comprit qu'elle n'avait plus rien à faire ici.

— Excusez-moi de vous avoir dérangée, mademoiselle, il y a eu une erreur...

— Tu vois cet autocollant sur la vitre cria presque la danseuse. Cela signifie que cette maison comme toutes celles du quartier est sous surveillance vingt-quatre heures sur vingt-quatre !

A la vue du dessin stylisé d'un cambrioleur, Joséphine ne put s'empêcher de sourire.

— Merci de l'avertissement, lança-t-elle en reculant vers la Toyota.

En tout cas, en la prenant pour une voleuse, la
jeune femme venait de lui confirmer qu'elle n'était
définitivement pas celle qu'elle cherchait !

La seconde Karen habitait un immeuble de Santa
Monica. Quand Jo arriva devant la porte de l'appartement, elle rencontra un jeune homme en-
combré d'un sac à provisions, qui cherchait sa clé
dans sa poche.

— Pardonnez-moi, dit-elle, je cherche quelqu'un du nom de Karen Peterson. Savez-vous si
elle vit toujours ici ?

— Vous êtes une de ses amies ? questionna le
jeune Californien bronzé.

Il avait introduit la clé dans la serrure mais
hésitait à ouvrir.

— Non, mais je crois que nous avons un ami
commun.

— Karen n'est pas là pour le moment. Elle est en
vacances. Si vous y tenez vraiment, revenez dans
une semaine.

Joséphine ne cacha pas sa déception.

— Une semaine ! s'exclama-t-elle. Etes-vous son
mari ?

— Son ami, répliqua le jeune homme en esquissant un sourire.

— Alors vous pourrez peut-être m'aider. Voyez-
vous, je ne suis pas certaine que Karen Peterson
soit celle que je cherche.

— Que voulez-vous savoir ?

242

— Depuis quand Karen vit-elle en Californie?

— Oh, neuf ou dix ans, je crois.

Le cœur de la jeune femme se serra. C'était sans doute elle!

— Où vivait-elle avant cela? souffla-t-elle.

— En Floride.

— Vous en êtes certain?

— Je ne vois pas pourquoi Karen m'aurait menti. Nous vivons ensemble depuis deux ans...

— Merci de votre aide... encore mille mercis! lança-t-elle avant de dévaler l'escalier.

— Je suppose que Karen n'est pas celle que vous cherchez? riposta-t-il en se penchant sur la balustrade pour la suivre des yeux. En tout cas, bonne chance pour la suite de votre enquête...

— Je crois que je ne vais plus en avoir besoin!

18.

La dernière adresse la conduisit devant une maison en brique de style Tudor. C'était là qu'habitait
Karen Porter.

Assise au volant de sa voiture, Joséphine regrettait amèrement de ne pas avoir emporté une robe
plus élégante. Si seulement elle était en mesure de
rencontrer Karen sur un pied d'égalité!... Comment avait-elle pu être aussi stupide? Cette femme
n'avait-elle pas quitté Brian avec trois cent mille
dollars en poche?

Faisant taire son appréhension, elle finit par se
décider à grimper les marches du perron. Une
femme d'une cinquantaine d'années, d'origine
mexicaine, lui ouvrit la porte — sans doute la
gouvernante.

— Je souhaiterais voir Mme Porter, déclara Joséphine.

— Qui dois-je annoncer? interrogea la femme, imperturbable.

— Je m'appelle Joséphine Williams, mais je crains que mon nom ne dise pas grand-chose à Mme Porter. Nous avons un ami commun... Je suis sûre qu'elle sera intéressée...

— Si vous étiez assez aimable pour me dire son nom, je le communiquerai à Mme Porter.

Joséphine esquissa un geste d'irritation. Elle ne s'était pas attendue à l'intervention d'un intermédiaire entre elle et Karen.

— Brian Tyler. Il s'appelle Brian Tyler.

— Très bien. Je vous prie de m'attendre. J'en ai pour une minute.

Une fois seule, en proie à une sourde angoisse, Joséphine se mit à regarder autour d'elle, la pelouse impeccablement entretenue, les parterres de fleurs, les buis taillés. Tout ici, jusqu'au moindre détail, respirait la richesse. Manifestement, Karen n'avait pas jeté l'argent de Mabel par les fenêtres! Elle avait trouvé un moyen de le faire fructifier...

Joséphine en était là de ses réflexions, lorsqu'une voix féminine s'éleva derrière elle, basse et un peu rauque, comme on imagine la voix des stars.

— Qui êtes-vous?

Joséphine fit volte-face et répondit:

— Joséphine Williams.

— Que faites-vous ici?

— Je suis venue vous voir, déclara la jeune femme en soutenant le regard anxieux de sa rivale.

Car elle savait à présent que c'était elle, sans l'ombre d'un doute.

246

— Mais pour quelle raison ?

— Puis-je entrer ? Nous serons plus tranquilles à l'intérieur pour discuter, suggéra Joséphine.

— Bien sûr, acquiesça Karen en s'effaçant pour lui laisser le passage.

Elles se rendirent au salon. Joséphine s'assit au bord d'un fauteuil, en face de celle que Brian avait tant aimée. Karen était son aînée de dix ans, mais sa beauté coupait le souffle. Une superbe chevelure d'un blond cendré balayait ses épaules, encadrant un visage d'une extrême finesse. Ses grands yeux verts avaient une expression un peu rêveuse. Et puis elle possédait une grâce de danseuse. C'était elle, sans aucun doute, cette Karen qui, d'après le copain d'Alex, était sur le point de devenir une vedette à Hollywood.

— Voilà, je serai franche avec vous, lança Joséphine sans préambule. Je suis amoureuse de Brian et je voulais rencontrer ma rivale.

Le beau visage de Karen se crispa imperceptiblement.

— Comment cela, votre *rivale* ?

— Brian ne vous a pas oubliée.

— Vous plaisantez ?

Mais en dépit de ses protestations, Joséphine voyait que cette déclaration enchantait Karen.

— Je n'ignore pas que Mabel vous a donné tout cet argent, reprit-elle. Une chose m'étonne, cependant : pourquoi avez-vous accepté ?

Karen considéra sa visiteuse d'un regard à la fois blasé et lointain.

— Que savez-vous exactement de toute cette histoire, Miss Williams? finit-elle par questionner.

— Pendant que Brian était à Boulder pour tenter de se réconcilier avec sa mère, cette dernière avait envoyé un messager à Iowa City avec la misson de vous proposer une forte somme d'argent.

Karen tendit la main vers une boîte en porcelaine posée sur la table à café. Ses doigts tremblèrent légèrement quand elle alluma sa cigarette.

— Ce n'était pas la première tentative du genre de la part de Mabel, énonça-t-elle en soufflant un nuage de fumée devant elle. Mabel ne supportait tout bonnement pas que je puisse épouser son fils. C'était devenu une idée fixe, une obsession. Je ne sais pas à combien de détectives j'ai claqué la porte au nez!

— Qu'est-ce qui a pu vous faire changer d'avis?

— D'abord les menaces. Mabel me jurait que si j'épousais Brian, elle s'arrangerait pour que notre vie soit un enfer. Je la croyais aisément, étant donné ce que j'endurais déjà... Et puis il faut avouer que malgré tout, Brian restait très attaché à sa mère, il se sentait responsable d'elle depuis la mort de son père et tenait absolument à ce que nous nous entendions, elle et moi. Pauvre Brian... Son ambition était d'ouvrir un cabinet d'architecte à Boulder, mais vu nos rapports avec sa mère, il se doutait que ce serait impossible. Mabel ne nous aurait laissé aucun moment de répit...

— C'est pourquoi vous avez tout à coup décidé de sortir de la vie de Brian? avança Joséphine.

Karen acquiesça d'un signe de tête:

— A l'époque, je me suis dit qu'il n'y avait pas d'autre solution. Je l'aimais tant...

Sa voix basse et un peu rauque vibrait d'émotion, mais Joséphine restait sur ses gardes. Après tout, Karen était comédienne.

— ... Mais depuis, j'ai regretté amèrement ma décision. J'étais trop jeune, j'ignorais que l'amour véritable est si rare et précieux... Je donnerais n'importe quoi pour le retrouver, termina-t-elle avec un sourire mélancolique.

Joséphine crispa ses doigts sur l'étoffe de sa robe. Elle pressentait ce qui allait suivre. Et en effet, après une pause, Karen déclara:

— Je veux le revoir, Miss Williams. Je vois bien que vous l'aimez, vous aussi, mais laissez-moi le revoir, une seule et dernière fois, que je le supplie de me pardonner...

Voilà. Le moment tant redouté était arrivé. C'en était fini de ses espoirs. Une fois en présence de Karen, Brian n'aurait plus d'yeux que pour elle...

— Je lui donnerai votre adresse, répondit-elle en se levant.

Karen la raccompagna elle-même jusqu'à la porte. Au moment du départ, Joséphine s'aperçut que la jeune femme ne lui avait même pas demandé les coordonnées de Brian. Il fallait qu'elle fût sûre d'elle pour être aussi certaine qu'elle transmettrait le message!

— Pourquoi ne pas avoir tenté de reprendre contact avec Brian avant si vous teniez tant à son pardon? s'enquit-elle.

— J'avais peur, répliqua la ravissante blonde avec une moue légèrement ironique qui déplut à Joséphine.

— Et maintenant ?

— Ne m'avez-vous pas dit qu'il ne m'avait pas oubliée ?

C'est dans un état second que Joséphine rentra à son motel. Exténuée, elle se laissa tomber à la renverse sur son lit. Combien de temps resta-t-elle ainsi immobile, les yeux fixés au plafond, sans penser à rien ? Elle aurait été incapable de le dire. Mais quand enfin elle émergea de son hébétude, ce fut pour préparer sa valise. Le mieux était de prendre immédiatement la route si elle voulait retourner le lendemain à Boulder.

Les lumières de Las Vegas formaient un halo à l'horizon quand Joséphine sentit ses paupières s'alourdir et sa vision se brouiller. Le sommeil, subrepticement la gagnait... Elle eut beau descendre la vitre augmenter le volume de la radio rien n'y fit. Et lorsque les réverbères se mirent à danser devant ses yeux, elle jugea plus sage de s'arrêter prendre un café.

Cinq minutes plus tard, Jo roulait encore, mais cette fois à travers les rues tortueuses d'une banlieue mal famée. Impossible de trouver le moindre bar ouvert, ni même un restaurant. Elle avait dû se tromper de sortie. Joséphine allait faire demi-tour pour retourner sur l'autoroute quand elle aperçut une enseigne au néon.

250

Le *Kirk's Koffee Kup Kafé* n'était guère plus avenant que le reste du quartier, mais son parking était plein, ce qui rassura la jeune femme. Elle dut d'ailleurs garer sa Toyota assez loin du café, en plein champ, entre un poids lourd et un camion de déménagement.

Une demi-heure plus tard, après avoir consommé au bar des pancakes au bacon ainsi que quatre tasses de café noir, Joséphine ressortit, prête à reprendre la route malgré sa fatigue persistante. Presque quatre heures du matin, constata-t-elle en jetant un coup d'œil à sa montre. Bientôt le soleil allait se lever. Si elle roulait bien, elle atteindrait Boulder dans l'après-midi...

Mais que se passerait-il ensuite ? se demanda-t-elle en coupant à travers champ en direction de sa voiture. Appréhension était un mot faible pour exprimer ce qu'elle ressentait. La perspective d'avoir à annoncer à Brian qu'elle avait retrouvé Karen lui donnait des frissons. Le connaissant, jamais il n'allait croire qu'elle avait effectué cette démarche par amour... et puis de toute façon, dès qu'il verrait Karen...

A cet instant, un insecte atterrit sur sa blouse. Elle poussa un cri et s'en débarrassa d'une chiquenaude.

C'est alors qu'elle les vit. Ils étaient deux. Deux hommes qui la suivaient. Elles les avaient remarqués dans le café, qui bavardaient seuls dans un coin autour d'une bière. Dans la clarté du néon, ils ne lui avaient pas paru plus inquiétants que les autres, mais à présent, dans l'obscurité, elle les trouva sinistres.

La peur envahit la jeune femme alors qu'elle contemplait les deux inconnus ; le plus grand était vêtu d'un jean crasseux et d'un gilet sur une toison noire. Des tatouages ornaient les biceps de ses bras. Le plus petit n'en était pas pour autant moins effrayant, avec ses cheveux longs retenus par un bandeau et sa grosse chaîne en guise de ceinture.

Comme les deux hommes, un mauvais sourire aux lèvres, attendaient, Joséphine tout en cherchant ses clés, promena un regard affolé autour d'elle. Elle ne pouvait retourner dans le café, puisqu'ils lui barraient le passage. Restait sa Toyota... Mais elle était encore à plusieurs centaines de mètres, elle n'aurait jamais le temps... Comment avait-elle pu commettre une telle imprudence? S'arrêter dans un tel quartier!... Et à présent, les deux hommes s'avançaient vers elle... Si seulement elle trouvait ses clés, elle pouvait encore arriver avant eux à la voiture, elle s'y enfermerait...

Joséphine était encore en train de fouiller sa sacoche lorsqu'ils marchèrent vers elle, calmes et sûrs d'eux, comme s'il était exclu qu'elle leur échappe. En étoufffant un cri, la jeune femme prit ses jambes à son cou. Elle vida le contenu de son sac sur le capot de la Toyota. Et les clés étaient là, entre un paquet de crackers et des mouchoirs en papier.

Fébrilement, elle remit ce qu'elle put dans son sac avant d'ouvrir la portière. A présent les hommes couraient derrière elle. Ils la rattrapèrent au moment où elle verrouillait sa porte. Le colosse, une grimace de dépit déformant ses traits, s'empara de la poignée et se mit en devoir de secouer le véhicule.

Dans un sanglot, la jeune femme tourna la clé de contact. Par bonheur, le moteur démarra au quart de tour ! Enclenchant la marche arrière Joséphine appuya à fond sur l'accélérateur. Jamais elle n'aurait cru sa fidèle Toyota capable d'un tel exploit : en un clin d'œil elle se retrouva sur la route, et elle prit le virage tout aussi rapidement en frôlant presque un poteau télégraphique.

Plusieurs dizaines de kilomètres furent nécessaires à Joséphine pour reprendre ses esprits. Peu à peu la peur s'estompant, elle sentit la colère l'envahir. Comment avait-elle pu se montrer aussi stupide ? Elle n'avait décidément pas une once de bon sens… ! S'arrêter n'importe où au milieu de la nuit, dans la région de Las Vegas, qui plus est ! C'était de la folie furieuse ! Amy avait raison de prétendre que sa confiance n'était que de la négligence camouflée…

L'incident avait cependant eu un effet positif : Joséphine n'avait plus du tout sommeil ! Quelques heures plus tard, elle avait franchi les limites du Nevada et se trouvait dans l'Utah. Après un coup d'œil à la jauge, elle s'aperçut qu'elle n'avait plus d'essence. Il fallait s'arrêter au plus vite pour éviter la panne sèche !

La station-service où elle s'arrêta était tranquille et bien éclairée. Avant de demander le plein, Jo chercha son chéquier dans sa sacoche et ne le trouva pas. Ni son chéquier, ni son portefeuille, constata-t-elle après avoir renversé le contenu de son sac sur le siège du passager. Tous deux étaient restés dans le champ, devant le *Kirk's Koffee Kup Kafé*.

Cramponnée des deux mains à son volant, la jeune femme faillit fondre en larmes. Que faire maintenant ? Toute sa fortune s'élevait à deux dollars et soixante-deux cents, une somme suffisante pour parcourir encore une centaine de kilomètres. Et à quoi cela l'avancerait-il ?

Comme le chauffeur de la voiture derrière elle klaxonnait pour la seconde fois, elle se rangea sur le côté pour réfléchir.

Si seulement Amy n'était pas en train de voguer sur des eaux tropicales ! Elle seule aurait pu l'aider. Pas question d'appeler ses parents. Ils ne comprendraient jamais qu'elle soit allée jusqu'en Californie sans leur dire bonjour ! Quant à Alex, c'était exclu. Jamais elle ne se ridiculiserait devant lui ! Florence sa fidèle amie n'avait pas le sou. Alors ?…

Restait Brian…

19.

A quoi sert de retarder l'inévitable ? se demanda Jo en descendant de voiture. Elle ramassa toute la petite monnaie qu'elle put trouver et se dirigea vers la cabine téléphonique. Sept heures du matin... Au moins, elle aurait Brian directement sans passer par sa secrétaire. Machinalement, elle composa le numéro du jeune homme qu'elle connaissait par cœur.

A la première sonnerie, elle fut saisie d'un vent de panique. Jo allait raccrocher quand la voix de Brian lui parvint.

— *Tyler Construction*, j'écoute.

— Bonjour, fit-elle en fermant les yeux.

— Jo ?

Brian marqua une pause puis s'exclama :

— Jo, c'est toi ? Bon sang, mais où étais-tu passée ? Je...

— Je t'en prie, ne te mets pas en colère.

A des milliers de kilomètres de là, Brian se passa nerveusement la main dans les cheveux. Enfin, elle donnait signe de vie !

— Je suis désolé, Jo, mais je me faisait tellement de souci à ton sujet. Tu as disparu si brusquement.

— Je suis partie depuis trois jours à peine. Et puis n'oublie pas que nous étions censés ne pas nous voir...

— J'aurais passé outre ton interdit si tu étais restée chez toi. Quand je t'ai appelée pour t'annoncer que je venais à Boulder, c'est Florence qui m'a répondu. Elle m'a dit que tu avais pris quelques jours de vacances pour rendre visite à des amis. Je n'ai pas cru un seul instant à son histoire. Au contraire, c'est à ce moment-là que j'ai commencé à m'inquiéter.

— Elle n'a fait que suivre mes instructions, Brian.

— Que se passe-t-il, Jo ?

— Tu sauras tout dès que j'arriverai à la maison.

— Ah bon... Mais où es-tu en ce moment ?

— A St George, dans l'Utah.

— L'Utah ? Mais que...

— C'est une longue histoire. Je te la raconterai en détail plus tard.

— Plus tard ? Quand exactement ?

Joséphine massa sa nuque endolorie. A cette heure matinale, la chaleur était déjà suffocante dans ce coin du désert. Elle jeta un coup d'œil au téléphone et s'aperçut qu'il ne restait plus beaucoup de pièces.

— Je ne vais pas m'attarder, Brian, je n'ai presque plus d'argent.

— Pour l'amour du ciel, tu ne vas pas raccrocher sans m'avoir expliqué ce qui se passe !

Jamais Jo ne s'était sentie aussi seule de sa vie. Le seul être qui aurait pu la consoler, elle allait le perdre ; une autre femme n'aurait qu'à tendre les bras pour qu'il se précipite vers elle... Ce fut à cet instant qu'elle se rendit compte qu'elle pleurait. La fatigue lui ôtait tous ses moyens. Ce n'était pourtant pas le moment de s'effondrer !

— Il vaudrait mieux d'abord que je te dise pourquoi je t'appelle.

Le désespoir contenu dans sa voix n'échappa pas à Brian.

— Oui, Jo, je t'écoute.

— Pourrais-tu me rendre un service ? J'ai besoin de cinquante dollars.

— Cinquante dollars ? Mais pourquoi ? C'est insensé !

— Il faut que je rentre à Boulder et je dois faire le plein d'essence, voilà tout.

— Tu es allée dans l'Utah avec ta vieille Toyota ? Mais c'est de la folie, Jo !

— Elle marche très bien, cette voiture, figure-toi !

— Cela m'étonne que tu sois partie sans argent. Que t'est-il arrivé ?

— J'ai perdu ma fortune à Las Vegas.

Elle aurait dû prévoir sa réaction : pas un instant il ne fut dupe de son demi-mensonge.

257

— Tu as perdu ton sac?

— Mais enfin, que vas-tu imaginer, Brian...

— Cesse de raconter des histoires.

— Eh bien, deux hommes à la mine patibulaire m'ont suivie et...

— Bon sang! s'exclama Brian. Je m'en doutais! T'ont-ils agressée?

— Non, j'ai pu heureusement prendre la fuite avant qu'ils m'attrapent. Mais dans l'affolement, j'ai perdu mon portefeuille. Je suis désolée de t'importuner, Brian, mais tu es le seul à qui je puisse faire appel...

— J'espère bien! coupa-t-il d'un ton outré.

— Brian, il va falloir que je raccroche. Si tu m'envoies les cinquante dollars par exprès à l'adresse que je vais t'indiquer, je les recevrai vite. Dès que je serai de retour à Boulder nous parlerons.

— Je vais demander à un ami qu'il t'apporte directement l'argent. Tu l'auras cet après-midi.

— Ce n'est pas la peine de...

Brian était vraiment à bout quand il s'écria:

— Bon sang, Jo, fais ce que je te dis pour une fois!

— D'accord. J'attendrai ton ami à l'aéroport.

Il y eut un silence qui s'éternisa au bout de la ligne.

— Jo? Je t'aime...

Ces mots furent comme un coup de poignard en plein cœur.

— Moi aussi, je t'aime, murmura-t-elle avant de raccrocher. Tu ne sauras jamais à quel point.

Quand elle ouvrit la porte de la cabine téléphonique, Jo sanglotait.

Après avoir raccroché, Brian téléphona immédiatement à un de ses amis qui était propriétaire d'un avion privé. Il lui avait autrefois rendu service et ne refuserait pas de l'aider.

Quatre heures plus tard, Brian sautait d'un petit bimoteur rouge et blanc sur le sol aride du désert de l'Utah. Son ami lui passa son sac de voyage et Brian le remercia, d'un geste.

Tandis que l'avion redécollait sur la piste de St George, le jeune homme se dirigea vers le parking. Dès le premier coup d'œil il aperçut la vieille Toyota. Il y avait quelqu'un à l'intérieur.

Brian se sentait tout à la fois soulagé et furieux. A la pensée des risques qu'avait encourus la jeune femme, il était hors de lui. Que faisait-elle, seule, dans les alentours d'un endroit aussi mal famé que Las Vegas ? Quelle idée de traverser les Montagnes Rocheuses dans cette antiquité qui méritait à peine le nom de voiture !

Ne se rendait-elle pas compte qu'en acceptant son amour, elle avait implicitement pris l'engagement de veiller sur elle. N'avait-elle pas songé un instant à lui en se lançant dans cette aventure ?

Ces trois jours d'incertitude avaient été une véritable torture. Par moments, des images insoutenables avaient traversé son esprit... Ah, comme il lui en voulait !

L'inquiétude de Brian s'accrut quand il vit que la silhouette dans la Toyota ne bougeait pas à son approche pourtant peu discrète. Puis il s'aperçut que Joséphine était endormie, recroquevillée sur son siège la tête sur un oreiller calé contre la portière.

Il la contempla longtemps, oscillant entre l'émerveillement de la revoir si belle, si adorable, et l'envie de lui reprocher sa négligence...

— Réveille-toi, ordonna-t-il en touchant son épaule par la fenêtre ouverte.

Elle ne bougea même pas. Avec un haussement d'épaules, le jeune homme contourna la voiture et sauta sur le siège du passager. Cette fois, il la secoua plus vigoureusement :

— Jo, réveille-toi, répéta-t-il.

Joséphine entendit une voix l'appeler, loin très loin, une voix qui la tirait lentement vers la lumière, une lumière aveuglante. Peu à peu, elle prit conscience de son environnement et de la présence de Brian à côté d'elle.

— Que fais-tu ici ? interrogea-t-elle sans préambule en massant son cou endolori.

— Oh, je passais par là, alors je me suis dit pourquoi ne pas rendre une petite visite à Jo ? répondit-il d'un ton sarcastique.

— Mais...

— Allons, Jo. Tu ne pensais quand même pas que j'allais te laisser toute seule au milieu du désert ?

Mais Joséphine, agacée par ses manières se révolta :

— Je ne me suis pas trop mal débrouillée jusqu'ici. Mon coup de téléphone n'avait pas pour but de faire appel à tes instincts chevaleresques... Tout ce dont j'avais besoin, c'était de cinquante dollars !

Brian considéra d'un œil critique ses cheveux ébouriffés, ses yeux rougis par la fatigue, puis déclara :

— Tu ne m'as pas l'air très en forme, allons, laisse-moi prendre le volant. Sortons au moins de cette fournaise...

Avec un soupir de résignation, Joséphine lui céda sa place. Brian lui jeta un regard inquiet. Qu'avait-elle donc ? Il n'y comprenait plus rien.

— Jo, que se passe-t-il, enfin ? Pourquoi fais-tu cette tête ?

D'une secousse la jeune femme se dégagea de son étreinte. Elle était lasse, si lasse... elle avait trop peur de s'abandonner à ses caresses... qui seraient sans doute les dernières...

— Je suis juste un peu fatiguée, mentit-elle.

— Et sûrement affamée, renchérit-il en se défendant de la questionner davantage.

— Non, je n'ai pas faim. J'avais encore des provisions.

Comme elle indiquait la banquette arrière de la voiture, Brian remarqua pour la première fois le sac de couchage et le panier.

— Jo, reprit-il, je ne supporte pas que tu me mentes... Où étais-tu ? Pas chez des amis, je parie...

Il y avait tant de tristesse dans sa voix, que la jeune femme étouffa un sanglot :

261

— Brian, je ne voulais pas... Je t'aime...

— J'attends tes explications, répliqua-t-il tout en sortant la Toyota du parking.

Mais Joséphine se tut obstinément. Un quart d'heure plus tard, ni l'un ni l'autre n'avaient encore prononcé un mot quand Brian bifurqua dans le parking du *Hilton* de St George.

— Pourquoi nous arrêtons-nous ici ? s'enquit Joséphine qui était en train de s'assoupir.

— Tu m'as l'air d'avoir bien besoin de dormir...

Cela, Jo ne pouvait le nier.

— Et de prendre un bain, ajouta-t-elle avec une moue ironique.

Lorsque peu après, Brian revint avec la clé de la chambre, Joséphine lui demanda :

— A quelle heure est ton avion ?

Brian la fixa droit dans les yeux :

— Quel avion ?

— Comment, quel avion ? Tu ne vas pas rentrer à Casper aujourd'hui ?

En guise de réponse, le jeune homme démarra dans un crissement de pneus et conduisit la Toyota à l'arrière du bâtiment, juste devant leur chambre.

— Je rentre avec toi à Boulder, Jo.

— Mais... c'est impossible...

— Tu veux parier ?

— Mais de quel droit... ?

Joséphine n'eut pas le temps de terminer sa phrase : il l'avait saisie par les épaules et l'obligeait à lui faire face.

— Jo, articula-t-il durement. Il y a cinq heures à

peine, tu me disais que tu m'aimais, et maintenant tu agis comme si tu ne me supportais pas!

A ces mots, Joséphine murmura:

— Pardonne-moi.

— Pourquoi ne peux-tu me faire confiance?

Sans s'en rendre compte, il la mettait au pied du mur. L'heure de vérité avait sonné.

— Ne restons pas dans la voiture, Brian, je t'en supplie.

Son désarroi faisait peine à voir. Emu il lui prit la main et l'embrassa tendrement:

— Moi j'ai confiance en toi, Jo, en nous deux...

— Attends d'entendre ce que j'ai à te dire, articula-t-elle d'une voix à peine audible.

Mais Brian n'avait pas entendu. Un peu plus tard après avoir déposé leurs bagages dans la chambre, il annonça en reculant vers la porte:

— Je n'en ai pas pour longtemps...

Joséphine fronça les sourcils:

— Où vas-tu?

— Ha, ha! D'abord tu cherches par tous les moyens à te débarrasser de moi, et quand je m'absente tu insistes pour que je reste? Où est la logique là-dedans?

Trop exténuée pour riposter, la jeune femme se contenta de hausser les épaules. Alors, d'un geste plein de sollicitude, Brian traversa la pièce pour la prendre dans ses bras.

— Ma chérie, tu voulais faire couler un bain si mes souvenirs sont bons. Je pensais simplement que tu souhaitais rester un peu seule...

Ravalant les larmes qui lui brûlaient les paupières, Joséphine noua ses bras autour de son cou et posa sa joue contre son torse.

— Reviens vite, murmura-t-elle.

Maintenant qu'elle avait décidé de lui parler de Karen, chaque seconde était précieuse.

— Je ne serai pas long, lui assura-t-il en l'embrassant avec une douceur qui était une promesse.

Le visage humide de larmes, Joséphine tourna le dos à la douche pour laisser l'eau rincer le shampooing de ses cheveux. Dans quelques minutes, Brian allait revenir et ce serait la fin...

Comme c'était injuste...

Karen ne méritait pas l'amour de Brian, et pourtant.. Elle ferma le robinet de la douche et après s'être enveloppée de la serviette blanche fournie par l'hôtel elle s'avança dans la chambre pieds nus pour chercher son sèche-cheveux. Jo avait la main sur sa valise quand elle entendit la clé tourner dans la porte.

A la vue de la jeune femme, Brian faillit lâcher le sac qu'il tenait à la main.

— Je ne m'attendais pas à ce que tu reviennes si vite, fit-elle en resserrant la serviette autour d'elle.

— Je me suis dit que tu avais sans doute faim, répliqua-t-il en posant son sac sur la table.

Puis lentement, il s'approcha d'elle et releva la mèche dorée qui barrait son front.

— Sais-tu combien j'ai souffert quand tu es partie ainsi sans prévenir? prononça-t-il gravement.

— Je... oh, Brian, je suis désolée, c'est vrai, je n'y avais pas songé..., avoua-t-elle.

Du bout du doigt, il suivit la ligne de sa joue, de son cou, de sa gorge.

— Pas songé, Jo? répéta-t-il en jouant avec l'extrémité de la serviette.

Parcourue de voluptueux frissons, Joséphine dut rassembler toute sa volonté pour le repousser. Car ce n'était pas possible, pas maintenant, pas quand elle allait lui annoncer...

Pourtant, au plus profond d'elle-même, une petite voix criait: *juste pour aujourd'hui, juste pour quelques heures! Pour une fois dans ta vie, sois égoïste!*

Joséphine finit par céder au désir qui l'embrasait et comme d'elle-même, la main qui s'apprêtait à écarter le jeune homme remonta jusqu'à sa nuque et elle renversa la tête en arrière pour lui offrir ses lèvres.

Alors que le regard de la jeune femme lui avouait tout son amour, Brian laissa échapper un soupir. Enfin! Enfin il savait que ses sentiments étaient partagés.

— Jo, chuchota-t-il, ce n'est pas le genre d'endroit ni les circonstances dont j'avais rêvés...

— Chut! tais-toi... pas maintenant...

Elle ne voulait plus penser à rien, pour se livrer entièrement à l'univers des sensations qu'il éveillait en elle.

Brian prit le visage de Joséphine en coupe entre ses mains et s'empara de ses lèvres avec douceur

265

puis son baiser se fit plus ardent, plus profond. La bouche de la jeune femme était sucrée, et son corps délicieusement féminin...

Délicatement, il défit la serviette qui masquait sa nudité. Puis il se recula d'un pas pour mieux admirer le galbe parfait de ses seins, de son ventre plat, de ses hanches.

Il la renversa brusquement sur le lit, caressant de ses lèvres brûlantes le corps que ses yeux venaient d'explorer.

— Brian, je voudrais... souffla-t-elle, la respiration courte.

— Oui, mon amour, que veux-tu? murmura-t-il en plongeant un regard éperdu de désir et de tendresse dans le sien.

Sans répondre, elle l'aida à déboutonner sa chemise puis alors qu'il terminait de se déshabiller, elle contempla son torse viril, effleura avec sa bouche sa peau lisse. Ensuite de nouveau leurs lèvres se cherchèrent et passionnément enlacés, ils effacèrent les années de solitude et de chagrin. Ils étaient faits l'un pour l'autre, ils s'accordaient comme s'ils étaient destinés l'un à l'autre depuis la création du monde...

Une éternité plus tard, alors qu'ils reposaient apaisés côte à côte sur les draps blancs, Joséphine se prit à songer qu'elle était capable pour préserver ce bonheur de ne jamais lui révéler la vérité sur Karen...

Quelle idiote elle avait été de partir en quête de sa rivale. Maintenant, il était trop tard. Si elle ne

266

confessait pas tout à Brian, un jour ou l'autre, inévitablement, ce serait Karen qui chercherait à entrer en contact avec lui.

— Qu'y a-t-il, mon amour? interrogea-t-il soudain en se redressant sur un coude pour la regarder. Tu trembles, aurais-tu froid par cette chaleur?

— Je... Brian, il faut que je te parle.

Joséphine repoussa fermement la main qu'il posait sur son ventre et dans un sanglot, hoqueta:

— J'ai... j'ai retrouvé Karen.

Brian la considéra un moment sans comprendre, puis lentement, il devint blême:

— Que dis-tu?

— Tu as parfaitement entendu.

— Mais comment...?

— Peu importent les détails, riposta-t-elle sans plus retenir ses larmes qui roulèrent sur ses joues.

Brian bondit hors du lit. Quelques secondes lui suffirent pour se rhabiller.

— Karen? Retrouvée? Karen? répétait-il. Mais es-tu sûre que c'est elle?

— Je l'ai vue, c'est elle, confirma Joséphine en se mordant les lèvres.

— Mais... *pourquoi*? hurla-t-il presque, le visage crispé par une grimace de désespoir.

Atterrée par la réaction du jeune homme, Joséphine baissa la tête:

— Parce que j'avais besoin de savoir...

— Oh, Jo, pourquoi n'as-tu jamais voulu croire à mon amour?

Il criait maintenant, d'une voix vibrante de colère et de chagrin. Puis, brusquement, il se détourna pour aller se poster devant la fenêtre. Il écarta légèrement le rideau pour regarder dehors. Finalement, sans esquisser un geste, sans la regarder, il souffla :

— Je pensais que tu m'aimais, Jo.

— Mais je t'aime ! s'écria-t-elle.

Alors seulement il se retourna :

— Pas assez pour lutter pour notre amour, n'est-ce pas ?

Et Joséphine sut à cet instant qu'elle avait perdu, tout perdu...

20.

Brian gara la voiture qu'il avait louée en arrivant à l'aéroport de Los Angeles devant l'élégante maison dont Jo lui avait donné l'adresse. Manifestement, songea-t-il en esquissant un sourire, Karen s'était bien débrouillée depuis son départ. Non que cela le surprît, il avait toujours eu confiance en ses capacités.

Comme il était étrange d'être là, après toutes ces années...

Le cœur battant, il frappa à la porte. Une minute plus tard, le battant s'ouvrait sur une adolescente aux longues jambes. Il reconnaissait ses cheveux, d'un noir de jais, si différents de ceux de sa mère... c'était Tracy...

— Oui? fit la jeune fille, impatiente, comme il restait là sans rien dire.

Non, elle ne le reconnaissait pas, constata Brian

avec tristesse. Mais aussi huit ans, pour une enfant, c'est si long... Elle l'avait oublié.

Il faillit l'appeler par son prénom, puis se ravisa, de crainte de l'effrayer.

— Je voudrais voir votre mère, commença-t-il.

— Avez-vous rendez...

— Merci, Tracy, coupa une voix féminine basse et un peu rauque. J'attendais monsieur Tyler...

Brian regarda par-dessus l'épaule de l'adolescente et rencontra le regard de Karen. Tout ce qui les entourait cessa alors d'exister pour lui. Brusquement, il retournait en arrière...

Joséphine arriva à Boulder au milieu de la nuit. Elle avait laissé Brian dans le motel de St George, occupé à préparer son voyage à Los Angeles. Après une courte mais mémorable dispute, elle l'avait convaincu qu'elle était tout à fait capable de rentrer chez elle.

En fin de compte d'ailleurs, il se rendit aux arguments de la jeune femme, conscient que ce trajet serait un enfer s'ils l'effectuaient ensemble.

Et à présent, elle allait s'enfermer dans son petit appartement seule. Il ne restait qu'à attendre... demain, Brian téléphonerait, et elle saurait...

Comme si elle ne savait pas déjà ! se reprocha-t-elle en grimpant lentement les marches de son escalier. Il fallait être réaliste. Jamais elle n'oublierait l'expression qui s'était peinte sur le visage de Brian quand elle lui avait annoncé la nouvelle. Mais rien ne s'était déroulé comme prévu. Pas une fois elle n'avait imaginé que Brian se sentirait trahi par elle, qu'il interpréterait son enquête comme un manque de confiance en lui.

Comment avait-elle pu être aussi stupide?

La jeune femme entra chez elle, la mort dans l'âme. Par sa faute, elle avait perdu l'homme de sa vie. Jamais elle ne pourrait de nouveau aimer ainsi... Il lui avait fait découvrir un autre monde, plus beau, plus généreux, plus libre. Et maintenant, elle ne pouvait retourner en arrière. Même cet appartement où elle trouvait jadis un réconfort, lui semblait froid et étriqué. Ce n'était plus un refuge, mais une prison...

Rien ne serait jamais pareil après Brian.

Joséphine était en train de se préparer une tasse de thé, lorsque l'on frappa trois coups à la porte.

Amy!

Elle eut un instant d'hésitation. Bien qu'elle pût compter sur la sympathie de sa voisine, elle allait aussi devoir subir un sermon en bonne et due forme!

De toute façon, Joséphine n'eut pas le choix. Elle avait oublié de verrouiller sa porte et Amy entra.

— Jo! Comment vas-tu? s'exclama son amie. J'ai aperçu ta lumière de la rue, alors je suis passée t'embrasser. Comment cela s'est-il passé chez tes amis?

— Mes amis? fit Jo en fronçant les sourcils.

— Tu sais, ceux à qui tu es allée rendre visite...

— Ah, ces amis-là! Tu as dû parler à Florence.

Mais pourquoi rentres-tu si tard? Il est près d'une heure du matin. Tu dois être épuisée après ta croisière aux Bermudes!

Joséphine préférait écouter les histoires d'Amy que de répondre à ses questions.

— Encore un dîner avec un de mes admirateurs. Quant aux Bermudes, tu peux admirer mon bronzage...

— Je croyais que quand ça n'allait pas, tu rentrais toujours tôt.

Amy aida Joséphine à sortir des tasses du placard et à les disposer sur la table de la cuisine.

— J'ai la nette impression que ni mon dîner ni mes vacances ne t'intéressent. Alors assieds-toi, et dis-moi ce qui te préoccupe... Ensuite, je te donnerai toutes sortes de détails sur l'existence idyllique que l'on mène à bord d'un yacht...

Pendant qu'Amy lui servait du thé, la jeune femme annonça d'une voix éteinte:

— J'ai retrouvé Karen.

— Et je suppose que tu as averti Brian! observa Amy en considérant son amie d'un air affligé.

Joséphine acquiesça d'un signe de tête.

— Grands dieux, Jo, mais à quoi penses-tu?... Enfin, soupira Amy, ce qui est fait est fait... Que se passe-t-il maintenant?

— J'attends.

— Tu attends quoi?

— Un appel de Brian.

— Il est avec Karen?

De nouveau, Joséphine acquiesça.

272

— Et s'il décidait...

Comme Joséphine relevait la tête, Amy s'interrompit, impressionnée par son expression douloureuse. Puis elle reprit :

— ... de rester avec elle ?

Alors la jeune femme se redressa, le visage de marbre :

— Nous verrons. J'espère simplement que l'attente ne durera pas.

Trois jours s'écoulèrent, interminables, sans signe de vie de Brian. D'heure en heure, Joséphine était de plus en plus persuadée qu'elle n'entendrait plus jamais parler de lui. Elle qui ne pouvait vivre sans lui... La nuit, elle l'appelait, lui tendait les bras en pleurant, puis sanglotait à perdre haleine, le visage enfoui dans son oreiller. Les journées étaient tout aussi éprouvantes, elle sursautait au moindre bruit, tressaillait au son de toute voix masculine. Elle n'était plus elle-même. Le souvenir de la passion qu'elle avait connue dans ses bras à St George la hantait. Elle revoyait ses yeux bleus si pleins d'amour et de tendresse, sentait sur sa peau la brûlure de ses baisers, se remémorait l'ivresse de leurs caresses, l'extase...

Le quatrième jour cependant, sa douleur céda la place à la résignation. Mais comme après une catastrophe majeure, elle ne pouvait reprendre la même existence qu'avant.

Cette nuit-là, elle dormit encore moins bien que les précédentes. Pendant ses nombreuses insomnies, elle prit un certain nombre de résolutions.

Dès le lendemain matin, elle convoqua Florence et Howard au salon de thé.

— Qu'y a-t-il, Jo? s'enquit Florence en la dévisageant d'un air inquiet. Vous avez reçu des nouvelles de Brian?

Joséphine eut un sourire crispé.

— Non, et je n'en attends plus. Mais il est vrai que Brian n'est pas étranger à la décision que nous allons prendre.

— Nous? s'étonna Howard.

— Mais d'abord, je voudrais vous remercier tous les deux de ne pas m'avoir interrogée sur mon voyage. J'avais besoin de temps pour réfléchir. C'est fait.

— Quand cesserez-vous de jouer aux devinettes?

— Excusez-moi, mais quand vous m'aurez entendue, vous comprendrez. Attendez! Il faut vous asseoir.

Une lueur de malice s'était mise à briller au fond de ses yeux.

— Que de mystère! se lamenta Florence en prenant place sur une chaise.

Joséphine s'assit en face d'eux et déclara:

— Pour commencer, je voudrais vous féliciter pour votre travail.

— Quel travail? s'enquit Howard en haussant ses sourcils argentés.

— Celui que vous fournissez ici depuis que je m'absente de plus en plus souvent. Vous avez un véritable don pour le commerce.

— Quel compliment, Jo, ce n'est vraiment pas la peine! protesta Florence.

— Je n'ai pas fini! continua Joséphine en levant la main. Je suppose que vous vous êtes rendu compte que j'aurais tout aussi bien pu fermer la boutique pendant mes absences. Je vous l'ai laissée exprès, pour vous mettre à l'épreuve.

— Jo...

— Quelques minutes encore, et je vous rends votre liberté. Howard, Florence, vous me croyez indifférente à vos problèmes, mais c'est faux... je pense avoir trouvé une solution!

Ses deux amis la fixèrent avec un regard dubitatif.

— Vous ne pouvez pas vous marier à cause d'une simple question d'argent, n'est-ce pas? insista Joséphine.

Howard jeta un coup d'œil à Florence puis concéda:

— Une simple question d'argent, si vous voulez.

— Eh bien, je sais où en trouver.

— Jo, intervint Florence, d'un ton de reproche, je sais pertinemment que votre chiffre d'affaires ne vous permet pas de nous employer.

— Vous avez raison, Florence, mais en revanche le même chiffre d'affaires pourrait constituer un complément non négligeable aux pensions de certaines personnes...

Cette fois, les sourcils d'Howard se froncèrent.

— A quoi voulez-vous en venir, Jo?

— Il est temps que je continue ma route, déclara

la jeune femme d'une voix émue. Je voudrais retourner à l'université terminer ma licence. Je crois que je vais me plaire à l'Université du Colorado. Mais au lieu d'étudier la gestion, je vais me lancer dans la sociologie. C'est vous tous qui m'avez ouvert les yeux. Une fois mon diplôme en poche, je vous promets de faire trembler le monde avec mes idées sur le statut du troisième âge!

— Ce qui signifie...

— Que je vais vous vendre le salon de thé!

Il s'ensuivit un long silence, pendant lequel Florence et Howard contemplèrent la jeune femme, bouche bée.

— Pas d'acompte, vous me payerez tout en mensualités calculées en pourcentage des bénéfices, reprit Joséphine. Si les affaires marchent aussi bien qu'en ce moment, il y aura assez d'argent pour vous nourrir tous les deux et payer mes frais de scolarité.

Sans même regarder Florence, Howard prit sa main dans la sienne.

— C'est entendu, déclara-t-il. Je suis d'accord avec vous, Jo. Il est temps que vous repreniez votre liberté. Vous ne pouviez rester toujours ici avec nous. Vous démarrez dans la vie, il est important de mettre toutes les chances de votre côté. Nous ne serons pas égoïstes, nous n'essayerons pas de vous retenir. Et pourtant, nous tenons tant à vous, vous savez... Maintenant, si vous voulez bien nous excuser...

Sur ces paroles, Howard se leva, entraînant Florence avec lui.

276

— Où allez-vous ? questionna la jeune femme, stupéfaite de cette précipitation.

— A la mairie, remplir le dossier de mariage.

A ces mots, la vieille dame éclata d'un rire si frais, si jeune, qu'à l'entendre, on lui aurait donné vingt ans.

— Je t'adore, mon amour ! s'écria-t-elle en nouant ses bras autour du cou d'Howard et en l'embrassant tendrement.

Devant cette scène touchante, Joséphine se rappela son propre chagrin.

— Suis-je invitée à la noce ? s'enquit-elle cependant d'un ton désinvolte.

— Bien sûr, vous serez notre second témoin.

— Si vous comptez sur Brian, oubliez-le. Il ne reviendra plus.

— Comment pouvez-vous en être aussi sûre ?

— En cinq jours, on a amplement le temps de savoir qui on aime, non ?

Les deux jours suivants, Joséphine fut prise dans un tourbillon d'activités qui l'empêcha de ressasser sa peine. Elle dut aller s'inscrire à l'université, puis passer plusieurs fois chez le notaire au sujet de la vente du salon de thé, tout en continuant à travailler.

Mais de temps à autre, quand elle s'y attendait le moins, le souvenir de Brian l'assaillait. Le soir, effrayée de faire face à la solitude, elle dînait avec Amy puis elles allaient au cinéma. Pendant la journée, quand elle devait se rendre en ville, Florence et Howard prenaient la relève.

Elle était seule dans la boutique à midi, débordée par la foule habituelle des clients à cette heure de la journée, quand le carillon retentit. Levant les yeux elle aperçut Brian.

Sans s'en rendre compte, Joséphine laissa choir l'assiette qu'elle tenait dans la poubelle. Sous le choc, elle était devenue blême.

Le regard bleu de Brian la transperçait. Pendant ce qui lui sembla une éternité, il la regarda avec une expression possessive et brûlante de désir qu'elle ne lui connaissait pas. Puis, il traversa la salle et se faufilant dans la foule, contourna le comptoir.

— J'ai à te parler, Jo, fit-il en la prenant par le bras.

Comme elle hésitait, il ajouta plus fort :

— Tout de suite !

— Mais je ne peux pas, mes clients... protesta la jeune femme.

Brian se tourna alors vers les gens qui attendaient patiemment et déclara :

— Miss Williams a certaines affaires urgentes à régler. Servez-vous...

Brian promena son regard autour de lui puis avec un sourire satisfait :

— ... Vous mettrez l'argent dans le bocal, termina-t-il en soulevant un pot de fleur vide à côté de la caisse.

Et sans lui laisser le temps de protester, il l'entraîna dans l'arrière-boutique et ferma la porte derrière eux. Puis il l'obligea à lui faire face.

— Regarde-moi bien, Joséphine Williams, et écoute attentivement ce que j'ai à te dire.

278

Mais Joséphine continua à le fixer d'un air aba-sourdi.

— Je suis ici, et non en Californie... et je t'aime...

— Mais...

— Il n'y a plus de mais... J'ai passé cette der-nière semaine à penser à nous. Ta tentative pour me jeter dans les bras d'une autre a échoué, tant pis pour toi.

— Mais je pensais... bredouilla Joséphine.

Il l'attira contre lui.

— Je sais ce que tu pensais, mais je n'ai pas pu venir te chercher plus tôt...

Il l'embrassa tendrement sur les lèvres, puis mur-mura contre sa tempe :

— Après avoir quitté Karen, j'avais besoin de temps pour mettre de l'ordre dans mon esprit. Alors j'ai suivi la côte en voiture. J'ai fait des centaines de kilomètres sans rien voir du paysage ! Ensuite, quand tout a été clair, je suis rentré à Casper prendre quelque chose et je suis venu te rejoindre aussi vite que possible.

— Mais, Karen... Elle avait l'intention de... j'ai lu dans son regard, qu'elle voulait renouer avec toi...

— Tu avais tout à fait raison, mais moi, je ne voulais plus d'elle.

— Tu ne l'aimes plus ? Tu en es sûr ?

Ainsi son plan avait finalement réussi. Elle avait confronté Brian à sa rivale, et cette dernière avait perdu. Joséphine croyait à peine à son bonheur.

— J'ai toujours su qui j'aimais, Jo, mais je savais aussi que tu ne me croirais pas avant que je voie Karen. Cette rencontre que tu nous a ménagée a été dans un sens plus facile que je ne l'imaginais, et aussi plus dure. Si j'avais pris plus tôt conscience de la véritable personnalité de Karen, je ne serais sûrement pas resté brouillé avec ma mère. J'aurais pardonné... Mais tout cela est du passé, maintenant, on n'y peut rien...

Après une pause, il sortit un petit écrin en velours de sa poche.

— Mabel avait raison en ce qui concerne ceci, continua-t-il, elle savait qui méritait cette bague, car elle te l'avait donnée à toi, et à toi seule, n'est-ce pas, Joséphine ?

Et il glissa à son doigt le solitaire qu'elle avait porté depuis la mort de Mabel jusqu'à leur rencontre en juillet dernier.

Muette de joie et de surprise, la jeune femme contempla le diamant puis Brian.

— Ne t'inquiète pas, tu n'auras pas à quitter Boulder. *Tyler Construction* va bientôt avoir son siège à Denver et je serai ravi d'habiter de nouveau ici.

Puis, contre toute attente, il sortit une cassette de sa poche. Il lui présenta le titre : « chansons à remonter le temps ».

— Maintenant, reprit-il en souriant, je tiens à ce que tu saches que toutes les chansons d'amour du monde sont « nos chansons » ! Et si jamais tu me surprends avec un air rêveur en les écoutant, c'est que je pense à toi, et à personne d'autre !

A cet instant seulement, Joséphine se permit de croire à ce qui était en train de se passer. Brian lui était revenu. Il l'aimait. Elle avait tant et tant à lui dire.

— J'accepte ta proposition, chuchota-t-elle en nouant ses bras autour de son cou.

Brian cligna d'un œil :

— Ce qui signifie que tu m'aimes ?

— Oui, souffla-t-elle.

— Assez pour te battre, pour me garder ?

Joséphine sourit :

— Fais sortir le dragon, tu verras.

— Mon dieu, comme tu m'as manqué ! laissa-t-il échapper d'une voix rauque en enfouissant son visage dans ses cheveux.

Leurs lèvres s'unirent en un long baiser ardent. Avec un bonheur sans nom, ils se retrouvaient, enlacés dans une étreinte brûlante, ivres de volupté et d'amour.

Ils ne virent pas la porte s'entrouvrir puis se refermer discrètement, ni n'entendirent Florence murmurer à l'oreille d'Howard :

— Nous pouvons fixer le jour du mariage, notre second témoin est ici.